YO FUI A EGB*

Mi corazón late como un tomate y palpita como una patata frita.

El 6 y 4 la cara de tu retrato

JAVIER IKAZ
Y JORGE DÍAZ

YO FUI A EGB

PLAZA & JANÉS

El papel utilizado para la impresión de este libro ha sido fabricado a partir de madera procedente de bosques y plantaciones gestionados con los más altos estándares ambientales, garantizando una explotación de los recursos sostenible con el medio ambiente y beneficiosa para las personas.

Por este motivo, Greenpeace acredita que este libro cumple los requisitos ambientales y sociales necesarios para ser considerado un libro «amigo de los bosques». El proyecto Libros Amigos de los Bosques promueve la conservación y el uso sostenible de los bosques, en especial de los bosques primarios, los últimos bosques vírgenes del planeta.

Decimoquinta edición: octubre, 2014

Búsqueda, selección y gestión de imágenes: Carmen Pérez

Printed in Spain – Impreso en España

ISBN: 978-84-01-34671-2
Depósito legal: B-22348-2013

Fotocomposición: M. I. maqueta, S. C. P.

Impreso en Gráficas 94, S. L.
Sant Quirze del Vallès (Barcelona)

L 3 4 6 7 1 2

A mi mujer Rosa y a mis dos hijos Izei y Luna.

Jorge Díaz

A mi hermana (incansable aportadora de ideas y fotos), a mi madre (sin la cual nada de esto existiría) y por supuesto a Noemí, por estar siempre a mi lado incluso cuando eso significa estar junto a una persona pegada a un ordenador.

Javier Ikaz

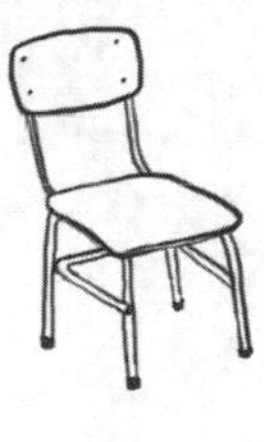

ÍNDICE

5) CARNET DE VIDEOCLUB
- BICHOS
- ME PIDO SER...
- COMEDIAS Y ROMÁNTICAS
- SIN QUE SE ENTEREN LOS PADRES
- A MÍ NO ME DA MIEDO...
- EJERCICIOS

6) A CLASE
- EN LA CARTERA DEL COLE
- LOS PERSONAJES DE NUESTRAS PRIMERAS LECTURAS
- CLASE DE GIMNASIA
- CONTROL SORPRESA
- LOS TRABAJOS QUE HACÍAMOS EN CLASE DE MANUALIDADES

7) EN EL AUTO DE PAPÁ
- COSAS QUE NO PODÍAN FALTAR EN LOS COCHES

8) TÓPICOS (¿A QUE TÚ TAMBIÉN HACÍAS...?)

9) SI PASAS POR EL QUIOSCO, TRÁEME...
- LOS TEBEOS
- NUESTROS LIBROS
- EN LAS PELUQUERÍAS
- LAS REVISTAS Y LA TELEVISIÓN
- LAS REVISTAS PARA ADOLESCENTES

10) DE DOBLE PLETINA
- ANATOMÍA DE UN CASSETTE (VIRGEN)
- CARÁTULAS ARTESANALES
- PORQUE YO TENGO UNA BANDA
- GRUPOS INFANTILES
- SUPERFANS
- EMPIEZAN LAS LENTAS
- JUKEBOX

Cuando éramos (aún más) pequeños nos gustaba pertenecer a una banda, ser parte de un grupo, para jugar, para explorar un bosque o simplemente para decirlo: «Soy de esta banda». A partir de ese momento hacíamos carnets con un tampón de dibujo animado, nos inventábamos santos y señas para que nos dejasen entrar en la caseta de madera, subir a un árbol o simplemente para ir juntos en bicicleta. Nos sentíamos bien perteneciendo a algo.

Lo mismo nos ocurrió cuando, hace unos años, nos vino a la cabeza la sentencia «Yo fui a EGB». Aquella frase, con solo cuatro palabras, determinaba mucho: una generación, unos hábitos, un mundo vivido que ya no existía, se explicaba por sí sola. Era como afirmar que habiendo ido a EGB pertenecías a una especie de banda.

Decidimos entrar en internet y abrir una página de facebook a nuestra banda con el acento tachado en rojo como homenaje a las faltas de ortografía y con una máxima irónica: «No somos nostálgicos más que nada porque no hay nostalgias como las de antes». Inmediatamente muchos se unieron a nosotros a base de «me gustas», y llegamos a ser más de 600.000 amigos en menos de un año. Afortunadamente no fue necesario hacer carnets para todos.

Desde el principio tuvimos claro que lo nuestro tenía que ser un rescate en el tiempo de costumbres, manías, momentos y cosas de aquella época sin caer en el «ya no se hacen las cosas como antes». Disfrutar recuperando los recuerdos sin quedarse colgados en aquella época. Mirar el pasado sin ironías ni alabanzas, que para algo estamos en el siglo XXI. No olvidemos que nuestra banda (en la que aceptamos a todos) nació en internet, primero en facebook, después en twitter y en nuestro propio blog (*www.yofuiaegb.com*) con el que ya hemos ganado varios premios, como el de Mejor Blog Personal y Mejor Blog del Público en los Premios Bitácoras y Mejor Blog Personal y Mejor Blog del Año en los Premios 20Blogs.

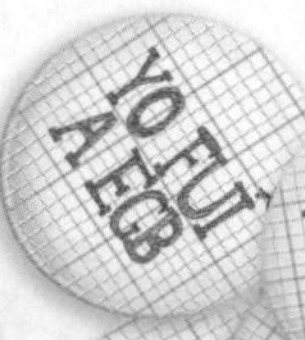

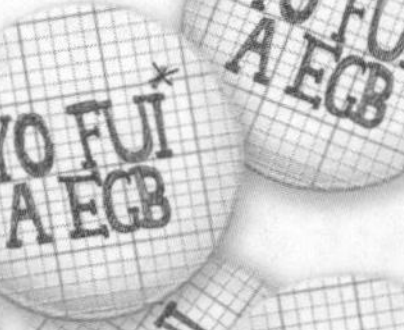

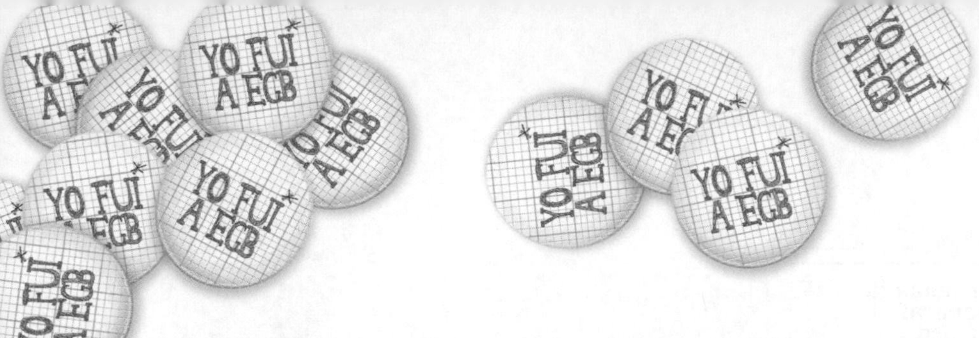

Ahora *Yo fui a EGB* traspasa la pantalla del smartphone y del ordenador y se convierte en un libro como los de antes, pero con un diseño muy actual, que se puede palpar y casi casi oler y saborear. Sois muchos los que nos habéis pedido este salto al mundo físico y aquí tenéis esta pequeñísima muestra de todo lo que supuso para nosotros aquella época, una especie de manual que solo entenderéis si fuisteis a EGB.

El período EGB es muy amplio (de principios de los setenta a mediados de los noventa) y la temática que abordamos desde *Yo fui a EGB* en internet es tan extensa que por el bien de las estanterías es imposible concentrarlo todo en un único libro. Nos hemos centrado en diez temas que todos hemos vivido y que van desde las chucherías y lo que comíamos en aquella época, cómo vestíamos, lo que veíamos en la tele y la música que escuchábamos hasta las revistas que leíamos y las pelis que alquilábamos en el videoclub, a qué jugábamos en el recreo y cómo eran nuestras clases. Nos iremos de paseo en el coche de papá y recordaremos todos aquellos tópicos que seguro que tú también hacías o decías y que a lo mejor pensabas que eras el único.

Hemos cuidado hasta el más mínimo detalle para que cada página de este libro sea como aquellos cuadernos que con tanto esmero hacíamos en clase, y consiga trasladarnos a nuestra infancia mostrándonos lo más representativo. Dentro vas a encontrar un montón de sorpresas, guiños y muchos recuerdos que creías olvidados y hasta tendrás que demostrarnos en más de una ocasión que efectivamente fuiste a EGB.

Suena la sirena, rápido, todos a clase, o mejor aún al recreo ya que este libro está hecho para disfrutar. ¿Te acuerdas?

Javier Ikaz y Jorge Díaz

Colegio ....

Enseñanza General Básica

Calificación del alumno

D/Dña. Javier Ikaz

Curso .... Trimestre ....

ASIGNATURA	CALIFICACIÓN
Tecnología	______
Matemáticas	______
Ciencias	______
Lengua	______
Educación Física	______
Conducta general	______

OBSERVACIONES

Nació siendo aún muy pequeño, concretamente un abril de 1978, pero con la total convicción de que no le gustaría ir a clase. Cuando llegó el momento de ponerse la bata y acarrear una pesada mochila descubrió que aquello tampoco estaba tan mal, a pesar de las matemáticas. Hizo muchos amigos de los que se alejaba cuando se ponían a jugar al fútbol, ocasión que aprovechaba para leer y escribir. De hecho la afición la mantiene y le ha permitido publicar varios libros, y gracias a su cinefilia ha dirigido numerosos cortometrajes y un documental. No era mal estudiante y mucho menos bueno, pero finalmente acabó con el libro de escolaridad en un cajón del mueble del salón, junto a un montón de cartas del banco sin abrir y un título de informático sin ejercer.

Desde bien joven desarrolló un oído musical nefasto, a pesar de tener la casa llena de cassettes de todo tipo. Una vez se encontró una moneda de cien pesetas en la calle y descubrió que la vida merece la pena. Desde entonces lee y escribe como si no hubiese mañana. A veces hasta de manera profesional.

Fecha: .... Firma Padres:

Colegio ....

Enseñanza General Básica

Calificación del alumno

D/Dña. Jorge Díaz ....

Curso .... Trimestre ....

ASIGNATURA	CALIFICACIÓN
Tecnología	______
Matemáticas	______
Ciencias	______
Lengua	______
Educación Física	______
Conducta general	______

OBSERVACIONES

Nació en Bilbao en abril de 1971 y hubiera pasado totalmente desapercibido durante los ocho años de su EGB de no ser por aquellos cuadernos de matemáticas en los que utilizaba la regla hasta para hacer el símbolo «más» y aquella dichosa canción que un profe les mandó inventar y que a punto estuvo de convertirse en el himno del colegio. Siempre suspendía gimnasia, calcaba los dibujos y se ponía rojo como un tomate cuando tenía que hablar en público. ¡Imaginaos el día que tuvo que pasar por todas las clases cantando su canción!

Se aficionó a llegar tarde por las mañanas y enseguida descubrió que el pasillo no era ningún castigo. No ganó ni una sola medalla, pero sí un montón de amigos que todavía conserva y a los que sigue llamando por su mote del cole.

De la universidad salió con un título en Ciencias de la Información (Publicidad) que le permitió trabajar como creativo en varias agencias de publicidad hasta que hace un par de años decidió montar la suya propia, Pentsaleku, ese lugar al que mandan a los niños a pensar cuando se portan mal. Además de diseñar, bloguea y, durante los últimos ocho años, ha escrito en un montón de publicaciones hasta hacer de los blogs su profesión y conseguir hablar de música sin necesidad de tener que cantar. Hace muy poco descubrió que ya no se pone colorado.

Fecha: .... Firma Padres:

Echa un trago
que esto empieza.

LAKEN

1

¿Qué queréis de merendar?

Vamos a festejar que el libro *Yo fui a EGB* ya está en la calle y para ello queremos montar una de aquellas merendolas con las que celebrábamos los cumpleaños en casa de los amigos. Sobre la mesa ya está la Casera Cola sin cafeína (la del osito) y una gran jarra de Tang de naranja recién hecho (como si se le fueran a ir las vitaminas...).

Sobre los platos Duralex marrones, capaces de sobrevivir a un ataque nuclear (como las cucarachas), el menú está formado por triángulos de pan Bimbo con Nocilla, aceitunas rellenas de anchoa, fuagrás Apis (con el que las mamás de la pandilla ahorraban pesetillas), mortadela de Mickey Mouse y de aceitunas («¿Me las puedes quitar?») y chorizo Revilla, que parece que es cierto aquello de que su sabor maravilla porque ya ha volado.

Aunque lo primero que atacamos son las patatas fritas sin ningún tipo de sabor; ya nos encargamos nosotros de aderezarlas mojándolas en la Coca-Cola o en el caldo de las cebolletas y pepinillos. ¡Estáis todos invitados! Y de postre, ¿vamos a por unos helados?

Al rico helado de piña
para el niño y la niña

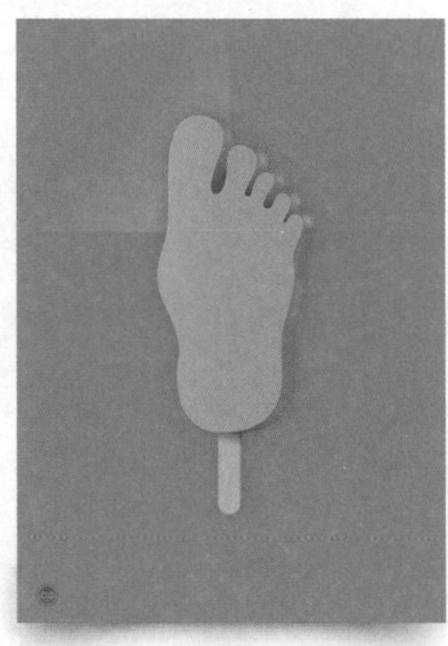

POPEYE: De naranja o de limón, era el polo clásico de Frigo de un único sabor, rectangular, sin ningún tipo de diseño, pero también era el más barato (25 pesetas), y muchas veces la economía no daba para más. Fue desbancado por los Patapalos de Miko que añadían nuestros dos sabores favoritos: fresa y cola. Además podías encontrar un PREMIO en el palo con el que te llevabas otro polo de regalo.

COLAJET: Con un diseño en forma de cohete, como ya tenía el Capitán Cola, Camy lanzó este helado que mantenía las dos franjas inferiores de cola y limón pero incorporaba una punta de cobertura de chocolate que, por mucho que intentaras dejarla para el final, era imposible no arrancarla de un bocado.

FRIGOPIE: Y Frigo siguió convirtiendo extremidades en helado y en 1982 lanzó este otro con forma de pie. «¿Me das un dedito?» Las mamás al principio estaban muy contentas porque no se trataba de un polo de hielo, pero enseguida se

DRÁCULA: La capa del helado vampiro era de cola, en el interior encontrábamos un jugoso relleno de fresa que, al morderlo, parecían bocados de sangre. Nació en 1973 y sigue apareciendo en los carteles cada verano, lo que demuestra que efectivamente es inmortal.

SERGIO TORIBIO

n rico y helado placer
Frigo
Frigolines
Avellana
Nata
Ron y pasas
Vainilla
Copa Brasil
Super almendrado
NUEVO
Negrito
Choc Bar
Copa rica
Crocanti
Fresa
Frigocorte
Bombon
Nata
Vasitos
Copa Mozart
NUEVO
Frigo pie
Super Cola
NUEVO
Frigo dedo
Choc Bana
Capitán Cola
Drácula
Naranja
Pop-eye
Limón
Choco
MIKO
mikonos
vainilla
nata
bombones
Nuevo
Mikumba
vainilla-chocolate
copa
vasos
avellana
nata
almendrado
super bombón
super vasos
Nuevo
mikolápiz
mikortes
Nuevo
mikolate
Nuevo
Bombones de Helado
milk chocolate
fresa
cortes
mikojet
caraibo
krypton
mikoturbo
Nestlé
Camy
105
Nata/Fresa
Vainilla
Moka
Brandy
con pasas
CORNETES
105
Camy Choc
Camy Fresh Limón
105
HELADOS DE YOGUR
NUEVO
105
Camy Fresh Fresa
135
CRUNCH
75
NUEVO
Nuts
105
Copa Capricho
Chocolate
Café
130
Bombones
150
Crusty
90
Gran Pacific
90
Camy Rock
95
Super Bombón Camy
80
Vasitos
85
Tarta Jijona Crocanti
130
Super Crocanti
90
Camy Crem
65
Camycao
55
TORNADO
70
Magic Fresa
55
Colajet
50
NUEVO
60
55
HAPPY
50
90
Cortes
MUA MUA
55
65
CAMY SETA
Nesquik
30

dieron cuenta de que aquello se derretía por todas partes y al final, de todas maneras, tocaba lavar.

FRIGODEDO: Con la llegada de los años ochenta descubrimos en los carteles de Frigo un nuevo helado con el dedo índice levantado como diciendo «elígeme». ¡Y vaya si lo elegimos! Muy pronto este helado de fresa se convirtió en uno de nuestros favoritos. ¿Os imagináis que el que tuviera en alto fuera el dedo corazón?

CALIPPO: La gran novedad de 1984 fue este polo que prescindía del palo y que inauguraba así un nuevo concepto a la hora de comer helado: «Lo aprietas y sube, lo dejas y baja». Desde entonces sigue siendo el favorito de los más pequeños. Primero de lima-limón, después el «Frigo que quita el hipo» fue añadiendo nuevos sabores como fresa y cola.

FRIGURÓN: Apenas estuvo cinco años entre nosotros y seguimos sin entender por qué desapareció tan pronto el que para muchos era nuestro helado favorito. Con forma de tiburón, con gusto a piña, pero de color azul, como el envoltorio de los Sugus de este mismo sabor. ¿Acaso existen piñas azules?

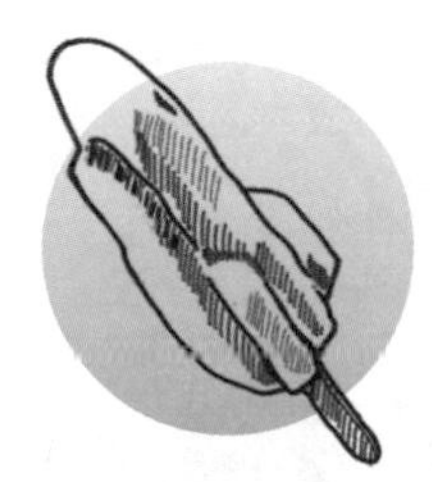

SUPERCHOC: Muchos pensábamos que los almendrados y bombones eran helados de adultos hasta que en 1985 descubrimos el SuperChoc con sus tres capas de diferentes tipos y texturas de chocolate. Nos hicimos mayores al momento.

NIFTY: El helado de vainilla con forma de fantasma de Camy es uno de los grandes olvidados. Son muchos los que solo recuerdan la versión que sacó Miko, bajo el nombre de Fantasmiko, en el que el palo era de chicle de fresa por lo que, lógicamente, era imposible de sujetar.

TWISTER: Como un tornado llegaba a finales de los ochenta el polo que se comía haciéndolo girar sobre la boca. Aunque aún se comercializa alguna versión, hay quienes siguen soñando con la mezcla explosiva de chocolate, nata y vainilla de aquel Twister-Choc.

NEGRITO: La revolución dentro del mundo de los cornetes llegó con el lanzamiento del

Une los puntos

y descubre uno de los helados más votado en el blog de Yo fui a EGB

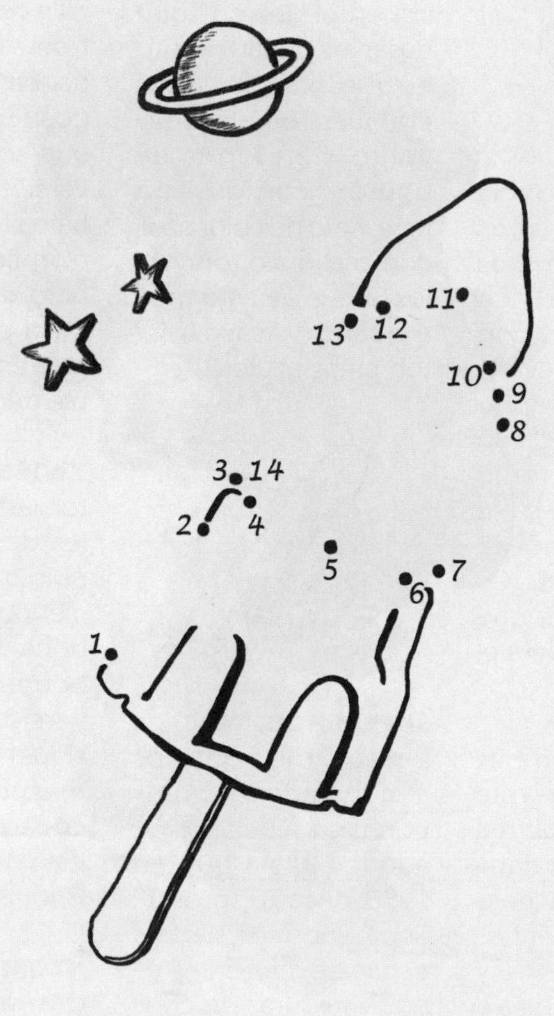

Kiss Cris o13

«Frigo con meneíto, bola de chocolate y rica nata para ti». Ese verano todos escogimos el Negrito.

MIKOLÁPIZ: Creemos que el éxito de este helado de vainilla con una punta de chocolate que simulaba la mina del lápiz fue la cantidad de veces que encontrabas un premio en su base de plástico. Al final, acabamos todos enganchados. «Otro gratis.» La versión payasete con sombrero de plástico incluido era el Mikopete, y el Mikoboy pasará a la historia como uno de los helados más extraños, con su bola de chicle como nariz y esa cara que daba mal rollo.

CORTE: No aparecía en ninguno de los carteles de helados pero no había un quiosco que no lo vendiera de uno, dos y hasta de tres sabores, porque era el favorito de todos nuestros padres. Tú ponías el precio y el heladero sacaba aquel enorme cuchillo y le daba un tajo a la barra de helado. La clave estaba en saber quién era el más generoso del barrio y el que tenía las galletas más crujientes.

FLASH: Puro hielo con muchos colorantes, acidulantes y saborizantes, de los que horrorizaban a nuestras madres. De todos los colores y sabores, envueltos en una funda de plástico. Al principio llevaban una ilustración de un superhéroe tipo Flash Gordon y se quedó para siempre con su nombre. «Ya verás qué bueno, toma Burmar Flax, que sabe de miedo y es fenomenal.» Era el helado más barato y por lo tanto el más popular. Los había de diferentes tamaños, marcas y sabores, hasta uno de color verde de menta. Nuestro favorito era ese tan ancho que no te entraba en la boca y que te acababa rajando los labios.

Dame la paga

Como cada domingo, nos levantamos de la cama con la frase en la boca «Dame la paga, dame la paga» y no paramos de revolotear alrededor de mamá y papá hasta que alguno de los dos suelta esa moneda con la que nos sentimos millonarios.

Sabemos que por la tarde vendrán los primos a casa y si juntamos nuestras monedas podremos hacer una gran lista de la compra con todas las chuches con las que llevamos soñando toda la semana.

Llega el momento de entrar en el quiosco, con ese olor a vinagre, que te hace salivar, mezclado con toneladas de azúcar, y entonces decides que es mejor olvidarte de la lista e improvisar, que para algo eres todo un experto en golosinas, sabes llamar a cada una por su nombre y te conoces hasta la última novedad. Eso sí, terminando siempre en puntos suspensivos para dejar muy claro que sigue siendo tu turno y que aún vas a pedir más:

-Dame una botellita de chicle de cola de pela...
»Una mora roja...
»Dos caramelitos de nata...
»¿Esto cuánto vale? —Señalando con el dedo—. ¿Y esto?
»Dame un chicle Cheiw de fresa ácida...
»Una castaña de chocolate...
»Un barrilete de fresa y nata...
»Un paquete de pastillitas...
»Un regaliz rojo y un refresco de naranja...
»¿Cuánto llevo?
»Pues dame una cebo de 10...
»Y un paquete de Fistros.
»¿Ahora?

Qué paciencia tiene el jefe aguantando estas colas de niños pidiendo las golosinas pela a pela hasta que a alguien se le ocurre la horrible idea de que cada uno se sirva lo que quiera para que él se limitara a pesar y cobrar.

Ya estás en la calle con tu bolsa de la compra repleta y el problema ahora es por dónde empezar y cómo conseguir que aquello dure toda la tarde. Hay dos tipos de niños: los que se comen todo de una tacada y luego se dedican a acercarse a los demás diciendo «¿Me das?» y los que disfrutan guardándoselo todo hasta que el resto ya ha terminado y así darles envidia. Tú, ¿de qué tipo eras?

Chicles

BAZOKA: El primer chicle que algunos recordamos son aquellos tres círculos unidos entre sí y envueltos en un papel plateado con un extraño nombre: «Bazoka» (más tarde pasó a llamarse «Bazooka» como el original de EE.UU.). Un chicle duro como una piedra que se iba ablandando a medida que masticábamos y con el que corríamos el riesgo de acabar con agujetas en la boca.

DUNKIN: Aquí lo de menos era el chicle y lo importante era todo lo que contenía aquel sobre amarillo que nos daban por cinco pesetas en los años setenta: dos escaleras apilables y el payaso saltimbanqui que no era más que un muñeco de plástico que descendía dando volteretas horas y horas.

COSMOS: Aunque ya existía en los años sesenta de fresa y menta, el que todos recordamos es el chicle cosmos negro de regaliz de los setenta que te dejaba la boca como si hubieras comido un plato de chipirones en su tinta. Desapareció misteriosamente. ¿Se lo tragaría un agujero negro?

CHEIW: Si hay un chicle que marcó nuestra época «tenía que ser Cheiw». Desde las barritas de unidad (¿recuerdas el olor del de fresa ácida?), pasando por los tacotes de dos o los paquetes de cinco unidades (con rarezas como el chicle de canela), hasta la barrita de naranja por fuera y fresa por dentro que, con el nombre de «Bubo», fue todo un superventas de los quioscos en los noventa.

BANG BANG: Por fin «un chicle blandito, blandito con un sabor largo que dura y dura». Con los Bang Bang definitivamente nos pasamos a los paquetes de chicles y a experimentar la sensación de meterse los cinco de golpe en la boca. Aquello no eran globos, eran globazos. ¿Y qué me decís del Bang Bang de chocolate?

BOOMER: Con aquel personaje embutido en un traje azul de superhéroe que solo dejaba al descubierto su cara, y que tenía el superpoder de estirarse y estirarse, se nos presentó este chicle que pasará a la historia por su variedad de extraños sabores como mandarina, melocotón, manzana ácida o natillas.

NIÑA: No quedaba muy bien que un niño comprara un chicle de color rosa para niñas con cromos de vestiditos recortables, pero su sabor y olor a fresa era tan bueno que muchos lo comíamos a escondidas.

PINTALABIOS: Apostamos a que el primer maquillaje para muchas niñas fue aquella barra roja de pintalabios de chicle. Primero nos pintábamos los labios como mamá y, ya con los dedos completamente rojos, nos lo comíamos.

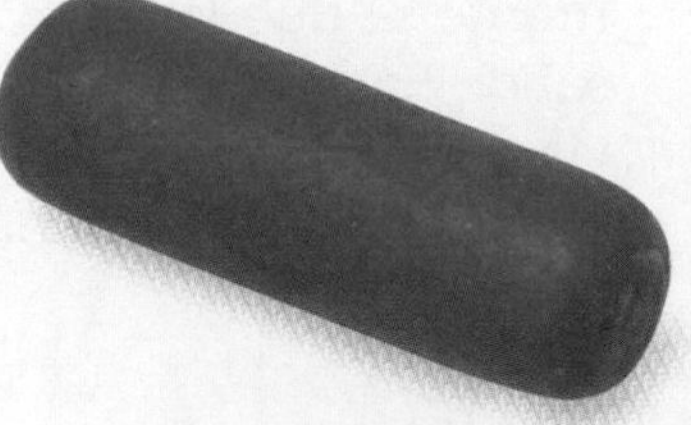

PEPITAS GOLD NUGGET: En un saquito de tela se presentaba este chicle en forma de pepitas de oro. Se rumoreaba que hasta se podía encontrar una pepita de oro auténtica en su interior. Jamás conocimos a nadie que la encontrara, y los chicles eran tan caros que se consideraban un lujo.

BOLAS DE CHICLE: La pequeña máquina amarilla expendedora de bolas de chicles de pela era irresistible, eso sí las bolas estaban tan duras como aquella palanca no apta para niños.

BUBALOO: La sorpresa estaba en el interior ya que este era un chicle relleno. Al morderlo salía un líquido dulce del sabor del chicle y ahí se acababa la gracia ya que inmediatamente se quedaba sin sabor. Había quien volvía a rellenarlos en plan casero con dentífrico de fresa.

TICO TICO: Con los de sandía y melón parecía que te habías comido toda la frutería y el olor se esparcía por toda la clase. Ah, bueno, perdón, que en clase no se puede comer chicle; no se lo digas al profe, ¿vale?

Top CHUCHES

(uno de cada diez dentistas las recomienda)

PIRULÍ: Sin ningún tipo de envoltorio, el pirulí es la versión clásica del chupa-chups, en formato cónico acabado en una punta que se iba acentuando a medida que ibas chupando. Por fuera barquillo y en el interior caramelo del de toda la vida, con mucho azúcar, que se te acaba pegando en las muelas.

o·····o·····o

PALOTES: Lo mejor de este «caramelote blandote» de fresa era que por fin alguien se acordó de nosotros e hizo un envoltorio que podíamos abrir sin necesidad de pedir ayuda a los mayores. Decían que reuniendo muchos puntos te daban el mismo castillo que servía de expositor en el quiosco. Nosotros los seguimos comiendo y de momento nada.

o·····o·····o

SUGUS: Aquí el premio era conseguir un envoltorio en el que pudiera leerse diez veces la palabra Sugus completa, pero a alguna siempre le faltaba una esquinita de la s y ya no sabías si valía. Seguramente no servía para nada, pero era tan inevitable hacerlo como pelar uno de cada sabor y metértelos todos en la boca, o perseguir el Sugus azul de piña: si era el que más nos gustaba ¿por qué había tan pocos? Ojo con los Snipe que tampoco estaban nada mal.

o·····o·····o

CHIMOS: «Chimos es, es un agujero, rodeado de rico caramelo.» De cinco sabores, este caramelo agujereado te permitía introducir la lengua en su orificio central, una nueva sensación que hasta ese momento no habíamos experimentado. El mejor era el morado.

o·····o·····o

PETA ZETAS: Pero la mayor revolución dentro del mundo de las chuches fue la llegada de los Peta Zetas, unas pequeñas partículas de caramelo que explotaban en tu lengua al contactar con la saliva; ¡incluso podías llegar a oír sus chasquidos! La golosina del futuro ya estaba aquí. Un montón de años después nos damos cuenta de lo poco que se ha innovado en este dulce terreno.

o·····o·····o

REGALIZ DE PALO: En cada zona se le llamaba de una manera: palolú, palodú, palulú... y no era más que la raíz del regaliz convertida en golosina. Su precio dependía del grosor de la pieza. Podías tirarte con uno de aquellos palos en la boca toda una semana y al llegar a casa lo dejabas en un vasito con agua. Siempre había quien se escandalizaba de que pudieras comer esa cosa, las mismas personas que decían que en la guerra tuvieron que comer hasta piedras.

o·····o·····o

OSITOS: Como si de animales salvajes se tratara, cada uno de aquellos ositos de regaliz venía enjaulado en una de las celdas de

la tira de plástico blanca por detrás y transparente por delante. Rojos o negros y de todos los colores en su versión de gominola, su figura será asociada para siempre al mundo de las chuches.

o·····o·····o

SELZ: Parece que lo de vender golosinas en tiras estaba de moda y la más larga era la de los caramelos Selz. Solo pronunciar su nombre da escalofríos, los mismos que sentíamos cuando se deshacía el caramelo y aparecía el pica-pica que llevaba en el interior.

o·····o·····o

CARAMELO DRÁCULA: Sin duda, cuanto más manchaba una chuche más nos gustaba y en el fondo a lo que estábamos enganchados era a aquellos colorantes. El del caramelo Drácula dejaba toda la lengua roja y ya podíamos ir por ahí haciendo la gracia de que habías mordido a alguien, como el vampiro que aparecía en el envoltorio.

o·····o·····o

CARAMELO DE CUBA-LIBRE: ¿Os imagináis dándole a vuestros hijos caramelos de Baileys o gin-tonic? Pues en aquella época los cubatas eran lo más y si papá se los tomaba de vez en cuando tú no ibas a ser menos. Desde entonces la Coca-Cola sola... como que no.

o·····o·····o

CIGARROS DE CHOCOLATE: Y claro, después del cubata venía el cigarrito. Tranquilos, que eran de chocolate (por cierto, bastante malo), pero servían para hacer que nos sintiéramos mayores e ir aprendiendo ese gesto que tan bien nos sabemos ahora. Lo de despegar el papel era tarea imposible, así que había que masticarlo con papel incluido, como un tipo duro.

o·····o·····o

PITA GOL: El caramelo que pita, con forma de silbato causó furor en la década de los ochenta, y a nuestros padres se les acabó el chollo de darle un chupa-chups al niño para que este estuviera tranquilito un rato. Después se convirtió en Melody Pops con la novedad de que el palo era móvil y podíamos conseguir sonidos diferentes. ¿Fue nuestra primera flauta dulce?

o·····o·····o

KOYAK: Aunque para chupa-chups clásico, el que mejor ha sabido aguantar ahí todos estos años es el que rinde homenaje al teniente Teo Kojak, interpretado por Telly Savalas en la mítica serie de los setenta. Él siempre aparecía con un chupa-chups en la boca, y los de Fiesta pensaron que no podía haber mejor nombre para su producto. Primero el rojo con su inconfundible sabor a cereza, después llegaron el de chocolate, fresa y nata, cola y la versión rellena de chicle.

o·····o·····o

CONGUITOS: Si alguien te dice «abre la boca y cierra los ojos» ya sabes que te está ofreciendo Conguitos «cubiertos de chocolate con cuerpo de cacahué». Desde 1961 esa bolsita de color naranja, imprescindible en las tiendas de chuches, se ha ido transformando desde aquella tribu africana con lanza en la mano hasta convertirse en los mismísimos Stevie Wonder y Tina Turner a mediados de los noventa. «Somos los conguitos y estamos requetebién.»

o·····o·····o

CASTAÑAS: Parecían pequeñas piedras de color marrón, recubiertas de una finísima capa de chocolate y en el interior una galleta dura como una piedra.

o·····o·····o

CARAMELOS PEZ: Siempre nos quedará la duda de si lo que realmente nos gustaba eran aquellos caramelitos rectangulares de sabores o los dispensadores, en cuya cabeza aparecieron todos nuestros personajes de animación favoritos.

Ca[20]

¡Niños, la mesa está puesta!

Si jugáramos a las siete diferencias entre un supermercado actual y uno de finales de los años setenta, lo que más llamaría la atención sería el pasillo destinado a las galletas y a los cereales para el desayuno. Hasta la llegada de los primeros Kellogg's nuestro desayuno se resumía en estas tres palabras: leche con galletas.

A la leche, que se vendía en bolsas, le dábamos sabor a chocolate con Cola Cao o Nesquik. Aquí todos teníamos muy claro en qué bando estábamos: o eras de uno o del otro, como tigres o leones, aunque muchas veces cambiábamos de opinión dependiendo de la promoción que regalara cada uno. Hasta minerales llegaron a aparecer en la tapa roja de Cola Cao y, claro, era muy difícil decirle a nuestra madre que no queríamos saber nada de aquel negrito del África tropical. Después llegaron otras moderneces como el Cola Cao Vit con su inconfundible envase cuadrado de tapa naranja, pero como era más caro que los demás sabíamos que, aunque lo pidiéramos, no nos lo comprarían.

Aunque el icono de los desayunos de aquella época, mientras sonaba en la radio *La Saga de los Porretas* que nos indicaba que ese día había cole, era la galleta María Fontaneda. Podíamos llegar a echar tantas en el tazón de leche que aquello se convertía en una especie de cemento en el que la cuchara se mantenía dentro completamente recta. Su sabor sigue siendo hoy en día para muchos el sabor de nuestra infancia.

Cola-Cao
ALIMENTO
COMPLETO
Cola-Cao
EL ALIMENTO DE LA JUVENTUD

¡Qué merendilla!

Bien en el recreo o al salir de clase por la tarde, el bocadillo era nuestra comida favorita del día. Mucho más desde que sabíamos que un señor trajeado y con bigote podía descender de un helicóptero para untarnos el pan con Tulipán. Nos pasamos la EGB mirando al cielo, pero jamás aterrizó ninguno en el patio de nuestro colegio.

Más traumática fue la desaparición del Tulicrem sin dejar rastro. Todavía hay quien lo está buscando. Fue un misterio como el que nuestras madres fueran capaces de anticiparse a toda la bollería industrial al inventar el pan con chocolate. ¿Cuánto hace que no lo pruebas?

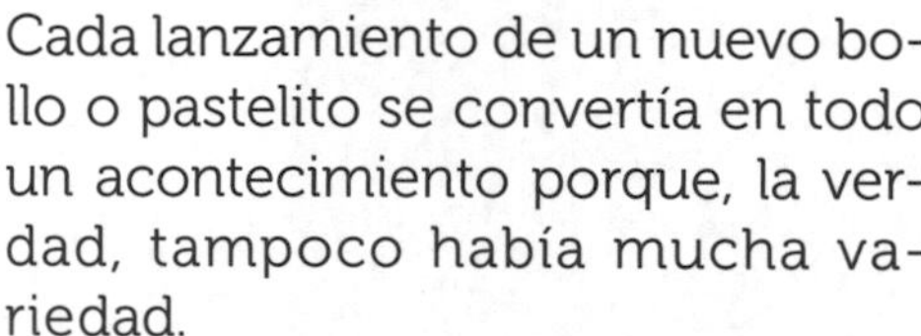

Regalos y pastelitos

Cada lanzamiento de un nuevo bollo o pastelito se convertía en todo un acontecimiento porque, la verdad, tampoco había mucha variedad.

PHOSKISTOS: Un pastelito de bizcocho redondo, totalmente recubierto de chocolate y con nata en el interior, puede resultar irresistible pero lo eran aún más los regalos que venían dentro. Viendo la cantidad de cromos que aparecen pegados en todos los libros que encontramos de aquella época, nos queda muy claro que comimos muchos, muchos, Phoskitos.

TUNOS: Con dos pastelitos redondos de chocolate en un mismo envase siempre teníamos la esperanza de que uno de ellos fuera para nosotros, pero a menudo nos quedábamos con las ganas cuando veíamos cómo el afortunado dueño se comía los dos. Ya solo por su nombre queda muy claro que estamos hablando de hace muchos años. ¿Cómo se llamarían hoy?, ¿Reggetones?

MI MERIENDA: Seguramente fuera el bollo menos atractivo de toda la panadería. Ni su nombre, ni su presentación en aquel papel transparente sin colores chillones y sin ningún tipo de cromo, llamaba demasiado la atención. Dentro había por una parte un bollo de pan y por otra una chocolatina rectangular de cuatro onzas, cuyo sabor fue sin ninguna duda la clave de su éxito. En teoría el bocata se montaba con esas dos piezas, pero jamás vimos a nadie hacerlo, lo único que nos interesaba era aquella inolvidable chocolatina.

BOLLYCAO: Hubo un antes y un después del Bollycao, y es que en aquel primer bollo de pan relleno fueron muy generosos con el chocolate. Lo mejor era cuando pillabas ese trozo en el que el chocolate se había concentrado. *Toi* salivando.

BUCANERO: El bollo relleno de crema de Bimbo fue el que menos éxito tuvo a pesar de que el reclamo de aquel pirata que le daba nombre

lo hacía partir como favorito. Está claro que los niños son los que deciden.

BONY: El mejor ejemplo de que cuando algo está realmente bueno no necesita una gran publicidad. Aquí no encontramos ningún animalito o mascota que lo represente y sin embargo seguro que aún recuerdas el sabor de aquella mermelada de fresa de la que estaba relleno.

TIGRETÓN: En principio el clásico rollito de chocolate y nata no era ninguna novedad, sin embargo era el bollo que faltaba en la famosa trilogía de Bimbo y esta vez el nombre sí que jugó mucho a su favor. Por supuesto que fuimos una generación marcada por los tigres, y no es el único producto que lo utilizó como mascota.

PANTERA ROSA: Podía parecer que un pastelito completamente rosa estaba destinado a las niñas, como ocurría en otros productos de ese color, pero aquí hacíamos una excepción ya que estaba totalmente justificado. Se trataba de nuestra querida Pantera Rosa, cuyo sexo sigue siendo tan misterioso como el de los ángeles.

Y tú, ¿eras de Bony, Tigretón o Pantera Rosa?

MORENITO: Prácticamente de bocado, los morenitos se vendían sueltos en las tiendas de chucherías y sin ningún tipo de envoltorio. A alguien se le ocurrió que cuando llegaba el verano era mejor meterlos en el congelador con los helados para que no se derritiera el chocolate que lo recubría. Así fue como el morenito congelado se convirtió en todo un clásico pues estaba aún más bueno.

Yogures

Y no podemos abandonar uno de los supermercados más populares de aquellos años, la tienda de ultramarinos de al lado de casa, sin detenernos en la nevera de los yogures. Ni rastro de Bífidus, L Casei ni Omega 3, comprar un yogurt resultaba bastante más sencillo que en la actualidad.

Solo teníamos que fijarnos en qué regalaban en ese momento si reuníamos treinta tapas de Danone, Ram, Chambourcy o Yoplait, y a partir de ahí decidir si escogíamos los sabores tradicionales como fresa, limón, piña o plátano, o nos decidíamos por alguna excentricidad como el de coco o naranja («Al niño no le

gustarán»). Para los días de fiesta se destinaban los sabores del Supremo de la casita de chocolate o caramelo.

Por mucho que se empeñen ahora en hacernos creer que de pequeños nos daban dos, debemos reconocer que solo comíamos un Petit suisse, que venía envuelto en un papel y que fueron nuestros primeros yogures y los favoritos hasta que vino algún gracioso a decirnos que aquello era queso.

Tampoco os penséis que en aquella época teníamos la nevera de casa tan repleta de yogures como ahora. Al principio eran algo excepcional que poco a poco se fue incluyendo en nuestra dieta, no sin antes intentar hacerlos en casa con la yogurtera. Pero ¿qué gracia tenía comer un yogur si no podías mirar debajo de la tapa para ver si tenía premio?

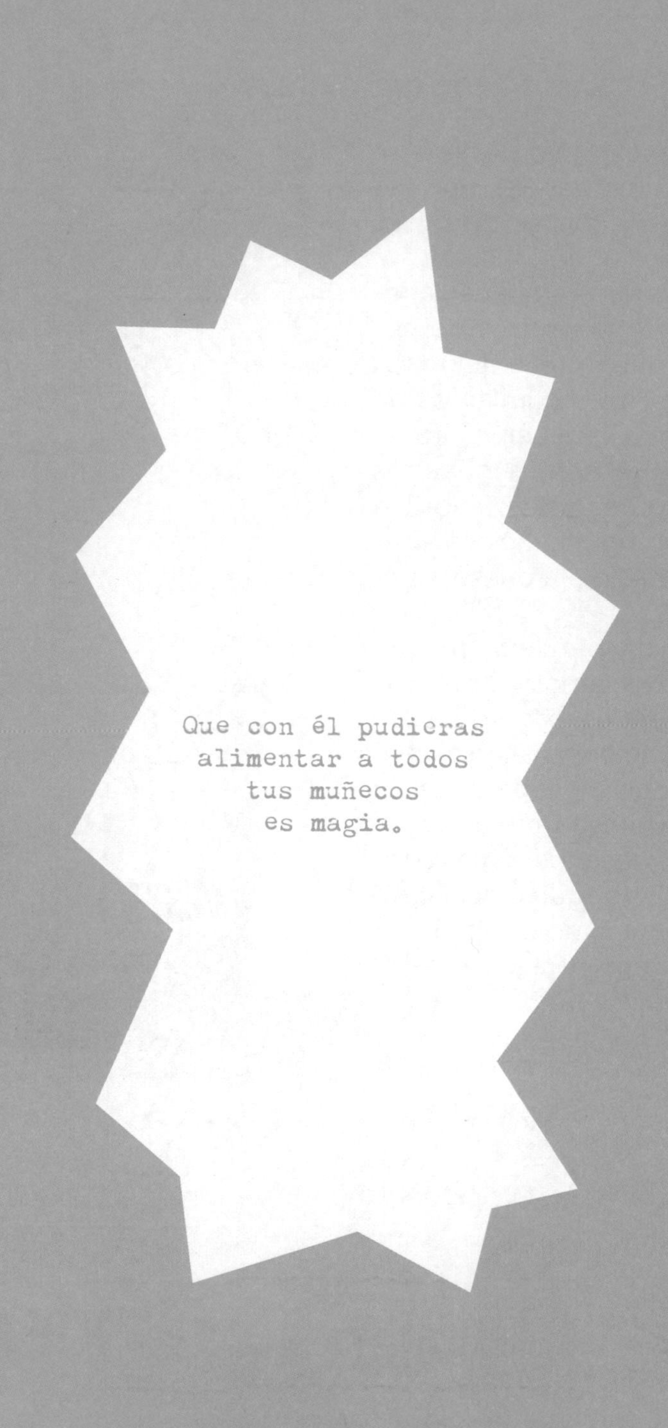

Que con él pudieras
alimentar a todos
tus muñecos
es magia.

MAGIC
MILK BOTTLE
BIBERON
MAGICO
BIBERON
MAGIQUE
PRECAUCION
ATTENTION
REF.
80
Mfd. by SHAMBER'S
Burjasot-Valencia-Spain
CAUTION:
NOT RECOMMENDED
FOR CHILDREN UNDER
3 YEARS OLD

de los chicos,
de las chicas,
de los maniquís,
enamorado de ti.
Y yo caí enamorado de
la moda juvenil,
de los precios y rebajas
que yo vi,
enamorado de ti.

2

Enamorado de la moda juvenil

Antes de la llegada de Zara, Pull and Bear y todas esas grandes cadenas de moda *low cost* podríamos pensar que cada uno de nosotros vestía de una manera muy diferente y sin embargo íbamos todos exactamente igual. Eso sí, la ropa no se compraba, directamente **se heredaba** de tu hermano mayor.

Lo de ir a una tienda de ropa era algo tan excepcional que, al pasar por caja, nuestras madres no podían evitar soltar un «me regalarás unos pañuelos, unos calcetines o algo...», y la frase misteriosamente siempre funcionaba.

La cuestión era que la ropa duraba más que las pilas del conejito de Duracell, por lo que las tallas tampoco tenían tanta importancia. Las niñas comenzaban en el cole con la falda del uniforme hasta los tobillos y seguían con ella hasta que se convertía en una minifalda y llegaba ese día en el que las monjas les daban el toque por enseñar demasiada pierna.

Las marcas de los **dobladillos** en los bajos del pantalón eran tan habituales como las **coderas** y **rodilleras** con las que se te acababa lo de deslizarte por el pasillo porque te quedabas totalmente plantado. Aunque, sin duda, lo que peor llevábamos eran aquellos **calcetines y jerséis de lana** (de la que picaba) que nos hacían nuestras madres, tías o alguna vecina. ¿Quién no tenía a alguien cercano con unas agujas de punto preparadas?

Uniforme EGB

Daba igual que en tu cole fuera obligatorio o no el uso de uniforme, había una serie de prendas de las que nadie se libraba y que eran el auténtico uniforme EGB.

Uno de los mayores misterios sin resolver era el porqué nuestras madres nos llevaban a los niños en **pantalones cortos** todo el año. Si hacía frío se subían los calcetines hasta la rodilla y nada de protestar, había que fortalecer esas piernas. Algunos no se pusieron unos pantalones largos hasta el día de la comunión.

Algo parecido ocurría con aquellos **chalecos de punto**, como los de Zipi y Zape, que llevábamos todos los chicos de la clase. ¿Les harían un descuento por ahorrarse las mangas? Si al menos hubieran sido de colores molones... pero no, parece que se economizaban hasta en la variedad y era muy difícil salirse de ese beis marrón o granate que todos acabamos odiando.

Cuando atacaba el frío de verdad nuestras madres lo solucionaban poniéndonos más capas de ropa que una cebolla, e ir con **leotardos**, o incluso **el pijama debajo del pantalón**, era lo más habitual. Pero claro, en clase hacía calorcito y nuestras piernas se convertían en una sauna. ¡Qué sudada!

Digan lo que digan, los **polos de cuello alto** picaban y aún era peor los que incorporaban una cremallera. Nos cubrían la cabeza con un **pasamontañas** o **verdugo** que solo dejaba al descubierto nuestros ojos como si fuéramos pequeños terroristas. Alrededor del cuello nos poníamos la **bufanda de lana**, que mamá había hecho demasiado larga para que nos durara más, y para completar una **coreana** o una **trenca** con botones en forma de cuernos, ambas con gorro, y unas **katiuskas** de goma que nos cocían los pies. Lo único que podíamos hacer era gritar bien alto: «¿Frío yo? Nunca».

La hora carne y hueso...

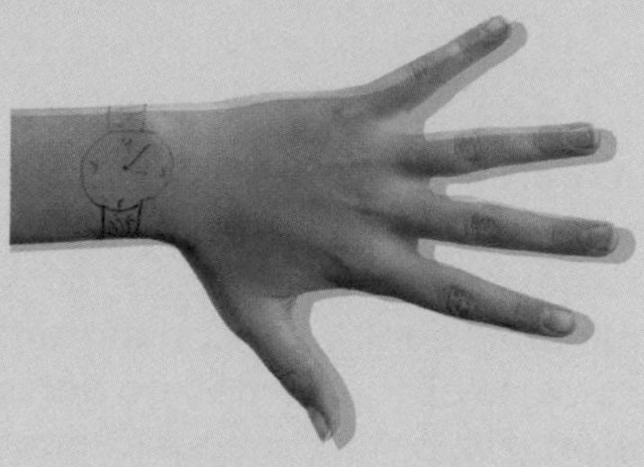

Hay que ver la ilusión que nos hacía tener nuestro primer reloj y lo que este se resistía. Sabíamos que sería uno de los regalos de la primera comunión pero la espera se nos hacía tan larga que, para cuando llegaba el momento, por nuestra muñeca ya habían desfilado otros relojes, aunque ninguno de ellos fuera capaz de decirnos la hora real.

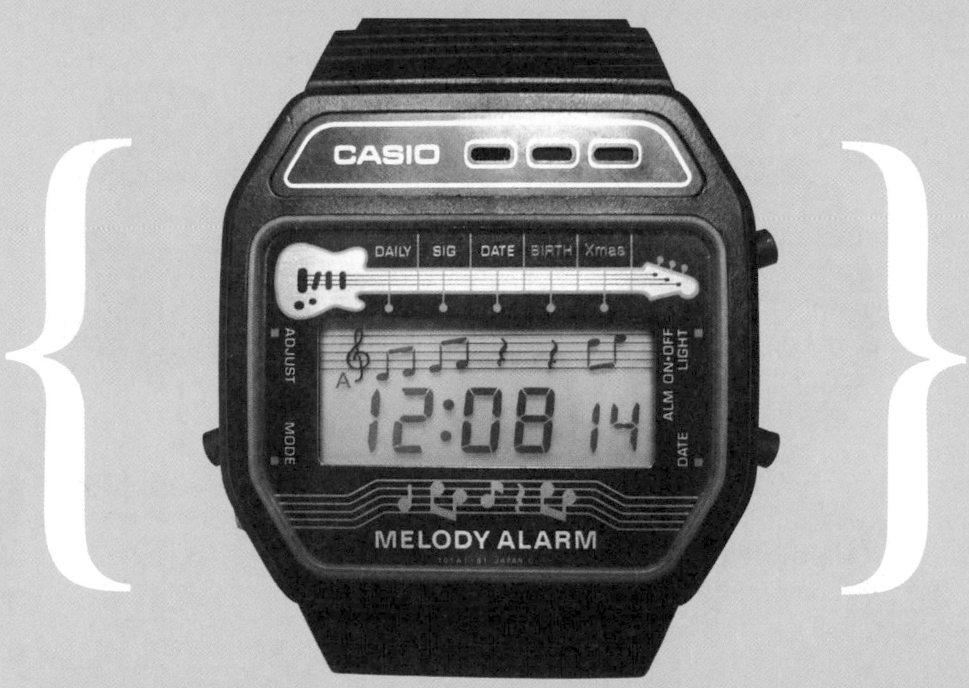

Nuestro primer reloj fue el que **nos pintábamos nosotros mismos a boli o a rotulador** y con el que incitábamos a todo el mundo a que nos preguntara la hora para soltarles: «Las carne y hueso», que tanta gracia nos hacía. Después llegaron aquellos **relojes de juguete** que vendían en los quioscos de chuches con una goma que te cortaba la circulación. «Niño, quítate ya ese reloj

que se te está poniendo la mano morada.»

Pero hubo un antes y un después con la llegada de los primeros **Casio**. Desde entonces ya no queríamos oír hablar de ninguna otra marca, aquello era mucho más que un reloj. Por si no fuera poco con su pantalla digital y su correa de cuero, que rompía por completo con la estética de todos los relojes que habíamos visto hasta el momento, la firma nipona se encargaba de ponernos los dientes muy largos cada temporada con el lanzamiento de un nuevo modelo.

Y es que los Casio hacían absolutamente de todo y con ellos nos sentíamos como el Inspector Gadget. Desde el reloj con aquellas míticas **12 melodías** que se representaban en un pentagrama, hasta el **reloj calculadora**, con **videojuegos** de naves, coches, golf, fútbol o esquí, que se controlaban únicamente con un botón de izquierda y otro de derecha, y el **Data Bank** con un teclado perfecto para tus chuletas, pasando por aquel modelo que incorporaba un **mando a distancia** y con el que la diversión estaba asegurada en los bares, tiendas de electrodomésticos y en clase cada vez que el profe trataba de poner una peli y terminaba totalmente desesperado al comprobar que había perdido por completo el control. El futuro había llegado a nuestras muñecas.

Vístete a la moda

Ya nos lo cantaban Enrique y Ana «Vístete a la moda, como se lleva ahora...», y nosotros solo teníamos que fijarnos en el look del cantante superventas del momento para tratar de copiar hasta el último detalle de su atuendo. Desde los grandes lazos en el pelo, los guantes de encaje, las gafas enormes y la falda encima de las mallas de Madonna en *Buscando a Susan desesperadamente*, hasta el cuero negro y las cadenas del Michael Jackson de *Bad*.

Dicen que la moda es cíclica y todo vuelve. Los ochenta siguen estando de plena actualidad, pero (afortunadamente) algunas cosas parece que se quedaron en aquella década para siempre.

CALENTADORES: La serie *Fama*, la película *Flashdance* y Eva Nasarre con su programa *Puesta a punto* tuvieron mucho que ver en que los calentadores pasaran de los salones de ballet a las aceras de nuestra ciudad. Con minifalda, sobre *leggins* o directamente encima de los pantalones vaqueros, eso sí, cuanto más chillón fuera su color mejor.

HOMBRERAS: Nunca vimos tantos hombros rectos, casi puntiagudos, y es que tanto hombres como mujeres se convirtieron en jugadores de rugby y se pasaron a las hombreras. Algunas prendas las traían de serie y a otras directamente se las cosíamos o enganchábamos con un imperdible. Eran adictivas y siempre queríamos un poco más, aunque el récord lo tenían los de Locomía. Lo peor que podíamos oír era: «Perdona, se te ha caído una hombrera».

CHÁNDAL DE TÁCTEL: Y de repente el chándal se convirtió en una prenda de vestir que llevaban nuestras madres incluso con tacones. Ya no era necesario simular que hacíamos deporte con él, y hasta nos lo poníamos los domingos. Como novedad, este material emitía un sonido de rozamiento al caminar y su forro interior de rejilla hacía que meter los pies en aquel pantalón fuera toda una odisea. Pero lo más espectacular eran sus combinaciones imposibles de colores que nos hacen pensar que sus diseñadores eran todos daltónicos.

YO FUI
A EGB
AC/DC

YO FUI
A EGB

CALCETINES BLANCOS: Antes de la llegada de los de rombos solo había un tipo de calcetines, los blancos de deporte con sus inconfundibles bandas horizontales roja y azul en la parte superior, que algunas veces eran acompañadas de dos raquetas de tenis cruzadas. Los chicos éramos felices sin tener que preocuparnos de qué colores combinaban mejor y esas cosas, hasta que pasaron a estar considerados como la mayor de las horteradas. Incluso corríamos el riesgo de que no nos dejaran entrar en la discoteca si los llevábamos. «¡No me toques los pies!»

CHINITOS DE LA SUERTE: El rojo era el del amor; el rosa, la amistad y el negro, el sexo. El amarillo, el del dinero; el blanco, la salud y el azul, los estudios. ¿Para qué elegir solo uno si podíamos tener suerte y, a pares, en todas estas parcelas de nuestra vida? Por intentarlo no se perdía nada, así que comenzamos a colgar aquellos pequeños chinitos con forma de calabaza e hilos de colores de todo lo que permitiera engancharlo: el reloj, la cremallera, la pulsera... Se llegaron a ver caminando por la ciudad auténticas montañas de chinitos de la suerte. Más tarde ocurrió lo mismo con los chupetes de plástico. Pero ¿a alguien le dieron suerte?

VAQUEROS LAVADOS AL ÁCIDO: Como si se te hubiera caído sobre ellos una botella de lejía, a mediados de los ochenta lo que se llevaba eran los vaqueros desteñidos con productos químicos que dejaban ver el

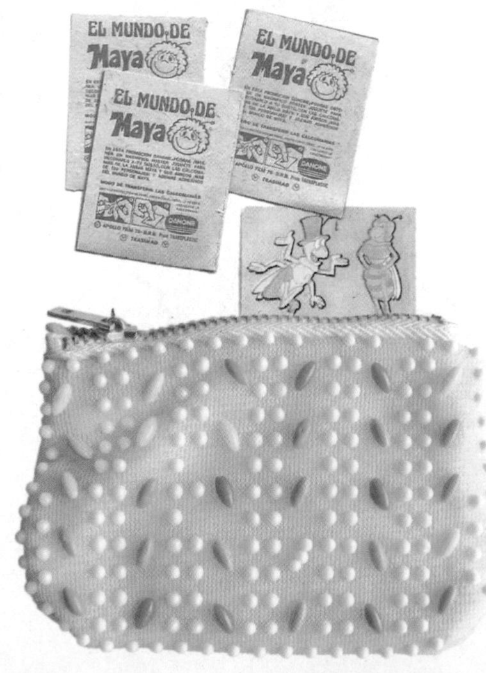

fondo blanco del pantalón en algunas zonas. También se les llamaba lavados a la piedra y hasta podías encontrar piedrecitas en los bolsillos que lo autentificaban. Las madres jamás entendieron esta moda. Intentad recordar la cara que puso la vuestra cuando se enteró de que te habías comprado unos pantalones parcheados o completamente rotos.

CARDADOS: ¿Qué sería de los ochenta sin aquellos pelucones cardados? Como Robert Smith de The Cure, Tina Turner, Spagna, Paloma Chamorro y media movida madrileña, tú también querías dar volumen a tu pelo y ganar altura con un buen cardado. Para que aquello se sujetara o tirabas de botes y botes de laca o te hacías una mezcla casera de agua y azúcar con la que corrías el riesgo de acabar con el pelo completamente blanco.

EL PELO PINCHO: Los chicos teníamos una fijación un tanto extraña con el pelo de Limahl, y todos los peluqueros del país ya sabían que el niño quería pelo pincho por delante y melena por detrás. Algunos se

tomaron tan en serio lo de *La historia interminable* que decidieron llevarlo así para el resto de su vida.

CINTA PARA EL PELO: Puede que lo que más odiaran nuestros padres fuera la cinta del pelo que nos poníamos en la frente. Nos repetían una y otra vez si era necesario que nos sujetáramos la cabeza, pero a nosotros nos daba exactamente igual. El aerobic estaba de moda y sin aquella cinta no podíamos ir a la moda. Valía cualquier cosa, hasta un fular retorcido y anudado que colgaba por detrás. Un día, al quitárnosla, descubrimos que se había quedado marcada como un tatuaje.

GUARDAPOLVOS: Su nombre ya lo decía, aquellos abrigos tenían que ser muy largos para ir barriendo el suelo y, a poder ser, de color negro. Con él, agitándose al viento, nos sentíamos como el prota de una peli, moderno no, posmoderno.

ACID: Con la llegada de la moda acid todo se tiñó de los colores fosforitos que hasta ese momento solo

habíamos visto en nuestros rotuladores marcadores. Conocimos a Smiley, aquella carita amarilla sonriente a la que en la actualidad hemos visto hacer de todo y que ya forma parte de nuestras vidas.

PINS: Un día nos dio por guardar un pin y al poco tiempo conseguimos otro. Empezamos a encontrarlos por todas partes y decidimos coleccionarlos. A todo el mundo que se iba de vacaciones le pedíamos que nos trajera uno de recuerdo. Enseguida corrió la voz de que los coleccionábamos y la gente no paraba de guardarnos pins. Pero ¿qué hacemos ahora con todos estos cojines repletos de pins? ¿Y esa chapa que llevas en la chaqueta?

Cuando los vaqueros no venían del Lejano Oeste

Como siempre nos habían contado que los vaqueros venían del Lejano Oeste no era de extrañar que soñáramos con unos pantalones vaqueros americanos. Nos sabíamos todos los secretos para diferenciar los auténticos Levi's etiqueta roja made in USA de los fabricados en nuestro país. Nunca había que fiarse de la procedencia que figuraba en la etiqueta de aquellos vaqueros tan duros que se iban ablandando con los lavados. Nuestro examen incluía un repaso a los botones, al hilo rojo de las costuras internas, a los remaches... A lo máximo que llegamos fue a tener unos etiqueta naranja, lo cual era como conformarse con el segundo puesto, pero sabíamos defendernos perfectamente con un «pero los tuyos son falsos».

En el fondo nos hacía la misma ilusión cualquier otro vaquero que fuera de marca y muy ajustado; ya habíamos aprendido en la tele que para ponérnoslos nos teníamos que tumbar en la cama o incluso meter en la bañera. Además, en aquella época todas las marcas tenían muy

claro que su nombre debía sonar muy americano, por lo que era imposible saber que Lois, Cimarron y Old Chap eran españolas y que Lee y Wrangler no.

Tampoco nos preocupaba cómo fuera en sí el pantalón, lo importante era conocer bien las etiquetas identificativas con sus logos y saberse de memoria los estribillos de «lo que moda es Lois», «Old Chap, viejo amigo» y «Chi Chi Cimarron, los jeans que mejor se mueven», que tantas veces habíamos visto en la tele en una época en la que no hacíamos *zapping*, ya que no había ni mando a distancia ni más canales y nos tragábamos todos los anuncios.

Solo hubo una marca a principios de los noventa que consiguió que nos olvidáramos de la etiqueta roja de los Levi's por unos años: los carísimos Bonaventure. En vez de etiqueta tenían una chapa metálica dorada o plateada, y a las tías les hacía ese culo con el que siempre habían soñado. Al final descubrimos que la chapa se te acababa clavando al sentarte y que los pantalones tampoco eran milagrosos para según qué tipo de traseros, por lo que nos volvimos a dejar llevar por las historias, modelos y canciones que cada temporada nos presentaba Levi's en sus míticos spots, cuyo estreno era todo un acontecimiento e hizo que más de uno se pusiera muy colorado. El vaquero volvió a ganar a los indios.

Nuestras primeras zapatillas de marca

Poder calzarnos unas zapatillas de marca y abandonar para siempre las Nisu de mercadillo era uno de nuestros mayores deseos cuando éramos pequeños, pero solo unos pocos lo conseguían, tras insistir mucho a sus madres y hacer un montón de visitas al escaparate de esas tiendas de deportes que las exhibían como un trofeo. Y no estamos hablando de las grandes marcas internacionales como Adidas, Nike o Reebok, que en aquella época eran prohibitivas, al contrario, nuestras primeras superzapatillas fueron fabricadas aquí mismo, en nuestro país.

JOHN SMITH: Ni habíamos oído hablar de las Converse, para nosotros las zapatillas tipo bota de lona eran John Smith que, a pesar de su nombre, se fabricaban aquí. Las primeras en aparecer fueron de color crema y al comprarlas estaban tan duras que había que lavarlas varias veces antes de poder ponérnoslas. De paso aprovechábamos para pasarlas por lejía sin que nuestra madre se enterara, porque lo que molaba es que se quedaran completamente blancas. Con la llegada de Telecinco Emilio Aragón las convirtió en una pieza imprescindible de su look combinándolas con traje, por lo que ya eran aptas para bodas, comuniones, bautizos y otras celebraciones.

J'HAYBER: Aquellas zapatillas blancas de cuero con sus bandas azules en los laterales y su puntera perforada tenían algo especial que hizo que ocuparan el primer puesto en el ranking de las zapatillas más deseadas. No era muy recomendable descalzarte en público por el olor que desprendían tus pies al quitártelas: aquello no transpiraba. Las jotajaiber eran las favoritas de los heavies, pero mejor negras.

PAREDES: Esta marca tiró la casa por la ventana y no se cortó un pelo en fichar al mayor ídolo de las quinceañeras para protagonizar la campaña «Súbete por las Paredes con Leif Garret». Se llegó a sacar un single promocional en el que el guaperas saludaba en castellano y hasta tiraba un beso a sus fans. Todo un acierto, como lo fue el ser la primera marca en incluir un globo de regalo en la caja de zapatillas. Con qué poco nos conformábamos...

KELME: La marca deportiva de Elche siempre tuvo muy claro que lo suyo era apostar fuerte por el deporte, desde su equipo ciclista hasta el fichaje de estrellas del baloncesto del momento como Jordi Villacampa para su mejor lanzamiento: aquellas míticas Kelme Villacampa verdes y negras que son todo un icono de los ochenta.

YUMAS: A las Yumas se las reconocía a kilómetros por sus inconfundibles franjas de color naranja fosforito y por la cara que se le quedaba a quien las llevaba de «en realidad quería otra marca de zapatillas pero bueno, no están tan mal». De otra galaxia.

VICTORIA: ¿Os habéis fijado que siempre hay unas zapatillas en el mercado con una gama de colores más amplia que el arcoíris? Fuera cual fuese nuestro color favorito, teníamos unas Victoria. Las blancas podíamos utilizarlas en clase de gimnasia, pero tenían la suela tan delgada que al salir a la calle rezábamos para no pillar una piedra.

TÓRTOLA: Llamar a unas zapatillas Tórtola fue un error garrafal, sus diseños de copia barata también, pero su precio fue todo un acierto para nuestras madres e irremediablemente acabaron en nuestros pies. «Sin presumir, ¿eh?, ¿tú también?»

Espejito, espejito, ¿quién es el más ochentero?

Test para medir tu «ochentería»

1. ¿Cómo era tu cazadora vaquera?

☐ a) Con un parche enorme en la espalda, ya fuera de Mickey o Minnie, Iron Maiden o Motorhead y batiendo el récord de mayor concentración de pins o chapas por milímetro cuadrado.

☐ b) Con forro y cuellos de borreguito y lavada a la piedra.

☐ c) Nunca tuviste una cazadora vaquera y tu madre no te dejaba agujerear la ropa.

2. Cuando en verano ibas a la playa, ¿dónde llevabas el dinero para el helado?

☐ a) En una riñonera.

☐ b) En el bañador o en la mano, pero siempre se te acababa perdiendo la moneda y te quedabas sin helado.

☐ c) En un tubo de plástico que llevabas colgado del cuello y que no te quitabas ni para bañarte.

3. En el bolsillo trasero de tu pantalón llevabas...

☐ a) Un pañuelo rojo colgado, como Miguel Bosé.

☐ b) Un peine que sacabas a la menor ocasión para hacerte un «Greased Lightning» a lo Danny Zuko.

☐ c) Nada, ese bolsillo estaba destinado a la mano de tu chico/a.

4. Cuando llega el frío invierno no puedes evitar...

☐ a) Meterte la camiseta por dentro de la ropa interior.

☐ b) Recordar el anuncio de Damart Thermolactyl y buscar en el armario alguna de aquellas camisetas.

☐ c) Dejarte el pijama debajo del pantalón y rezar para que nadie te pille.

PUNTUACIONES

1-a (3 ptos.) b (2 ptos.) c (1 pto.)
2-a (2 ptos.) b (1 pto.) c (3 ptos.)
3-a (2 ptos.) b (3 ptos.) c (1 pto.)
4-a (1 pto.) b (3 ptos.) c (2 ptos.)
5-a (3 ptos.) b (1 pto.) c (2 ptos.)

6-a (2 ptos.) b (1 pto.) c (3 ptos.)
7-a (2 ptos.) b (3 ptos.) c (1 pto.)
8-a (2 ptos.) b (3 ptos.) c (1 pto.)
9-a (3 ptos.) b (3 ptos.) c (1 pto.)
10-a (3 ptos.) b (3 ptos.) c (3 ptos.)

5. ¿Cuál era la frase que más repetías mientras tu madre te vestía para ir al cole?

- ☐ a) «Esto no, que pica.»
- ☐ b) Te vestías tú solito y elegías la ropa.
- ☐ c) «Me duele la tripa» por ver si colaba y podías quedarte en casa.

6. En tus muñecas llevabas...

- ☐ a) Un montón de pulseras de colores que tú mismo fabricabas.
- ☐ b) Nada, te molestaba hasta el reloj.
- ☐ c) El último Casio molón.

7. ¿Qué ropa utilizas para dormir?

- ☐ a) Un esquijama.
- ☐ b) Aquella camiseta gris que regalaba Cola Cao de Seúl 1988 u otras olimpiadas.
- ☐ c) Nada, te molesta hasta el reloj.

8. Para ti un chándal siempre será...

- ☐ a) Aquel uniforme azul marino con tres franjas blancas para hacer gimnasia.
- ☐ b) Una prenda de moda de colores galácticos que lo mismo te sirve para ir al súper o a una barbacoa que salir a pasear los domingos con la seguridad de que todos te reconocerán a distancia.
- ☐ c) Tu mayor pesadilla: el día que terminaste el cole te juraste no volver a ponerte uno nunca más.

9. Lo qué más echas de menos del verano es...

- ☐ a) Los pantalones rockys de colores.
- ☐ b) Las sandalias cangrejeras de goma para ir al río.
- ☐ c) Las camisas y bermudas hawaianas.

10. Te alegraría el día...

- ☐ a) Leer en una revista de moda que vuelven los calentadores y las hombreras.
- ☐ b) Descubrir en esa chaqueta que hace años que no te pones uno de aquellos muñequitos sujeto a la solapa con sus manos en forma de pinza.
- ☐ c) Encontrar en el fondo del armario tu jersey Privata.

RESULTADOS

De 10 a 15 ptos. Totalmente ajeno a las modas que vienen y van, no te gusta que nadie controle tu forma de vestir porque sabes que es total. Tienes un estilo propio, no hay duda, pero por mucho que te niegues a reconocerlo eres más ochentero de lo que tú te crees.

De 16 a 22 ptos. Lo tuyo son las modas llevadas al extremo, eras el que más chinitos de la suerte llevaba colgados en el reloj, el que más pulseras llevaba en sus brazos, collares, chapas, pins... y hasta te atreviste a salir a la calle con aquellas antenitas de plástico en tu cabeza. Eres lo más.

De 23 a 30 ptos. Lo llevas en el ADN, en los genes, en la tibia y el peroné, no quieres ni oír hablar de moda revival porque para ti los ochenta nunca se fueron, por lo menos de tu armario. No es que te gusten los ochenta, eres los ochenta en persona. ¿Acaso hubo una década mejor?

Solo con mirarlos...

...ya me he caído tres veces.

¡Al
recreo!

Y por fin llega el momento tan esperado, y que siempre tarda tanto en llegar (¡maldita sea, este reloj no avanza!). Suena la estridente sirena que deja al profesor con la palabra en la boca y que hace que le prestemos, aún, menos atención. Se escucha un murmullo nervioso porque sabemos que como el profe se ponga chulito no nos dejará salir hasta que acabe la explicación. Es un momento en el que disfrutan del poder que tienen...

Hoy ha habido suerte y nos ha dejado salir justo al sonar la sirena. Pero sin correr. ¡Je, qué incauto! Los pasillos son un jaleo de gritos, balones que botan, carpetas que caen al suelo y de un montón de niños corriendo despavoridos hacia el patio. «El último se la queda.» Y esa es la frase que más nos hace correr, porque no mola nada pasarse todo el recreo quedándotela. «¡Eh! Sin empujar.»

Los maestros aprovechan el descanso para fumar como carreteros en el aula de profesores y, lo más probable, tomarse una aspirina. Nosotros corremos hacia nuestro lado del patio (todos tenemos nuestro lugar para jugar). Ahora queda lo más complicado, esto es, decidir a qué jugamos. «¿Por qué no jugamos al esconderite?» «Se dice escondite que me lo dijo mi madre, y ya jugamos ayer, yo prefiero a fútbol.» «Qué pesado, siempre con el fútbol...»

¡Por mí y por todos mis compañeros!

Veinte minutos de recreo no daban para mucho y no era cuestión de perder la mitad del tiempo discutiendo, así que acabábamos jugando un poquito a casi todo lo que proponíamos. Posiblemente el más fácil y que menos había que preparar era el esconderite, perdón, **el escondite**, porque el último en llegar se ponía a contar contra la pared de la caseta del con-

serje y el resto a esconderse, bien tras un árbol, tras una columna o incluso dentro del grupo de la clase de al lado que estaban jugando a otra cosa (y de paso podíamos ver a la persona que nos gustaba). Es un juego sencillo, todos se esconden y uno busca; eso sí, si tú eras el que se la quedaba era un aburrimiento y, a menudo, recibías vaciladas de todo tipo. También es verdad que de tan sencillo que era nos acababa aburriendo enseguida y pasábamos a otro juego.

Uno que nos gustaba mucho era el **conejo de la suerte**, pero era necesario que chicos y chicas se pusieran de acuerdo; ellas abandonaban sus coreografías y ellos el balón. El juego era de lo más simple pero tenías el incentivo de besar o de que te besaran, aunque también podía resultar muy decepcionante. El caso es que nos poníamos todos en círculo cogiéndonos de las manos, a poder ser chico-chica (aquí ya empezaban los primeros nervios y frustraciones) y se cantaba una canción mientras chocabas la mano de la persona que estaba a tu izquierda y ella hacía lo mismo hasta que acababa la canción. Entonces a quien le tocaba (chico o chica) tenía que dar un beso a quien quisiera del círculo. Y claro, la persona que te gustaba nunca te besaba y a ti nunca te tocaba. En este inocente juego se podían ir perfilando lo que más tarde acabarían siendo algunas parejas. «¡Bah! Yo prefiero el escondite...»

Había un juego que aunque era divertido nunca lo tomamos como tal, sino como una especie de sorteo para ver quién se la quedaba en la siguiente ronda o cuando queríamos hacer cualquier cosa. Me estoy refiriendo al **piedra, papel o tijera**. Tan sencillo como que la piedra rompe la tijera, la tijera corta el papel y el papel envuelve la piedra. Un juego de apuestas, simple y sin más parafernalia que una mano, en el que intentábamos adivinar por la mirada del contrincante lo que este sacaría.

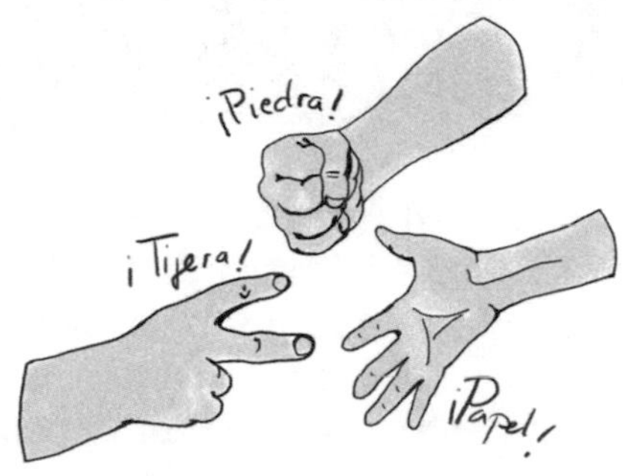

Se consideraba cosa de niñas jugar a los **cromos de palma.** Es cierto que más tarde vinieron **los tazos** con la misma finalidad y ahí jugábamos todos, pero eso de los cromos, aunque como hemos dicho era cosa de niñas, a algunos nos tenían fascinado; se compraban en librerías y en tiendas de chucherías, y solía ser una hojita que se dividía en un montón de cromitos con dibujos a cada cual más ñoño. Los

había incluso con brillantina y los que no la tenían se podían tunear. Las niñas de mi clase eran unas manitas para eso; nuestras hermanas nos enseñaron una serie de trucos para ganarle todos al contrincante.

Uno de los juegos netamente masculinos, porque se podía hacer el bruto todo lo que se quisiera, era el **churro, media manga, manga entera**, un juego que tenía varios nombres. Nosotros lo conocíamos como **chorro, morro, pico, tallo qué** o como **el burro**. Nos poníamos en fila encajando la cabeza entre las piernas del que teníamos delante, haciendo una especie de ciempiés. Los que saltaban, uno tras otro, tenían que llegar lo más lejos posible. Acabábamos con heridas y dolores por todas partes, pero era uno de los juegos más divertidos.

Las **canicas** eran como nuestro tesoro, solíamos tener un montón, de tamaños y colores diferentes. También las cambiábamos cuando una no nos gustaba demasiado. El juego era muy parecido a la petanca de nuestros abuelos. Aquello era habilidad pura y dura: meterla en un agujerito, alejar las de los adversarios, acercarte lo máximo posible a la canica más grande... Pero vamos, algunos solo las coleccionábamos y las contemplábamos. Cómo íbamos a arriesgarnos a rayarlas contra el suelo o a ensuciarlas...

Puede que vuestra madre tenga una cajita en casa llena de huesos pintados: no, no está loca, es que conserva (¡menuda joya!) **las tabas** con las que jugaba en su niñez. «Pero mamá, ¿cómo es que jugabais con huesos? Eso parece de la Edad de Piedra.» El juego debía de ser muy sencillo: con el hueso del cordero, ese que es como un dado abollado, hacían apuestas, era el antecedente a los cromos de palma, solo que en este caso los tiraban al aire y si caían con los salientes hacia arriba, se llevaban lo apostado, que solía ser las tabas de los contrincantes; en caso contrario, pues a palmar y a entregar el hueso. Y claro, como era un juego prácticamente para chicas, este tenía un toque *tunning*, y los huesos estaban pintados con esmalte de uñas, con brillantes... Los hombres también solían apostar con tabas en los bares.

Y ahora llega el momento de contar un trauma infantil que algunos padecemos. Después de mucho sufrir, de tratar de olvidar, en ocasiones, cosas de la infancia, de conformarnos con la vida que nos ha tocado vivir, tenemos que confesarlo, por mucho que duela: nunca tuvimos un **yo-yo** Russell 5 estrellas. Hay quien dice que vio uno una vez. Pero eso eran palabras mayores. Nunca le creímos y es que aquello se convirtió en una leyenda. Quien más quien menos ha jugado alguna vez con un yo-yo (más que jugar desesperábamos), pero lo de conseguir un Russell 5 estrellas era solo para profesionales, y desde luego en nuestro barrio no lo éramos. Ni teníamos tanto dinero...

Y si con el yo-yo nos poníamos de los nervios, con **la peonza** ya ni te cuento. Bueno, peonza o trompa que también había quien la llamaba así. También la tuneábamos, pintando grecas con rotuladores de colores, clavándole chinchetas por todos lados, incluso cortándole el pitorro de madera de arriba para hacerla más aerodinámica. Al final quedaba como una especie de nave espacial hortera que no conseguía girar más que unos pocos segundos en el suelo. Olvídate de saltos, cogerla

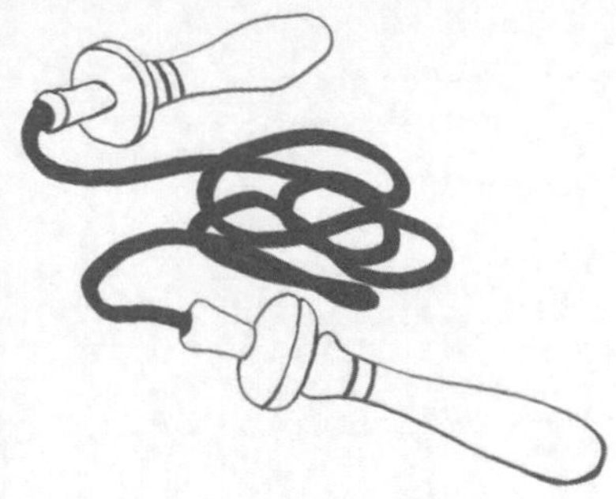

Una dos y tres
pluma tintero y papel
para escribir una carta
a mi querido Miguel
Que está comiendo judías
en un barril de lejía.

Papá, mamá
de cuántos añitos
me dejas casar
de 1, de 2, de 3, de 4,
de 5, de 6.

Fortunato, Fortunato
no es un perro
ni es un gato,
es un lobo
muy simpático,
nuestro amigo Fortunato

La una,
La otra
La cara
De idiota
Que tiene...

con la mano y demás. Aquí si que había auténticos expertos en nuestro barrio. Potencia, habilidad, reflejos... Bufff, demasiado para nosotros. Eso sí, es imposible ver una peonza sin intentar hacerla girar.

Al otro lado del patio o parque estaban ellas que, cuando no jugaban con los dichosos cromos de palma, se entretenían con **la goma** o con **la comba**. Siempre saltando y cantando cancioncillas. Variaban los tiempos de salto, dependiendo del ritmo de la canción, y nosotros las mirábamos como diciendo «bah, las niñas y sus tonterías». Aunque luego vimos a Rocky saltar a la comba (sin cantar, eso sí) y ya nos lo tomamos más en serio. Como en todo juego, había grados de dificultad y la comba podía ser más larga, cogida en cada extremo por una niña y saltar varias personas al mismo tiempo, incluso con dos combas a la vez, una hacia cada lado... Se necesitan reflejos y habilidad. Nada, desde aquí os miramos... Luego estaba la goma que se enganchaba en las piernas de dos chicas mientras otra hacía unas cosas rarísimas, también cantando. Qué fijación con cantar para todo...

«Tened cuidado con eso, no os vayáis a sacar un ojo.» Y es que lo del hinque daba mal rollo. Realmente era peligroso dejar jugar a niños con una punta de hierro. Era como si les diesen un cuchillo. Y claro, alguna herida te acababas haciendo. En la parte del parque en la que no había hierba, solo barro, dibujábamos con el hinque una especie de rayuela, ya que el juego es poco más o menos lo mismo, solo que en lugar de utilizar una piedra, empleábamos una punta de hierro que clavábamos en las casillas y que teníamos que recoger a la pata coja. Alguno también acabó un poco cojo gracias a la punta, a veces oxidada.

Y ya para acabar con los juegos de calle no podemos olvidarnos del **juego del pañuelo**. Más traumas. Y mira que era fácil la cosa, ¿eh? Dos grupos, unos frente a otros, cada uno con un número y en medio una persona sujetando un pañuelo y diciendo números. Cuando te tocaba tenías que ir a cogerlo, pero, claro, en el otro equipo también había otra persona con tu mismo número. Había que ser rápido para cogerlo antes que el otro, y que no te pillara. Adivinad quién de nosotros era de los primeros en ser descalificado...

Jugando en casa

Pero, claro, no todos los días hacía buen tiempo y era necesario tener la casa repleta de juguetes de todo tipo que, normalmente, se apilaban dentro de tambores de detergente vacíos (un reciclaje genial de nuestras madres). Es cierto que luego todos los muñecos y maquinitas olían a detergente, pero eso nos daba igual, lo peor era que el que nos apetecía coger era siempre el que más abajo estaba y eso nos obligaba a volcar el tambor en la habitación pequeña desparramando los juguetes por todos lados (incluso debajo de las mesas y la cama) en el preciso momento en que te dabas cuenta de que preferías jugar con otra cosa. El destino es caprichoso. «Luego recogerás todo eso, ¿no?»

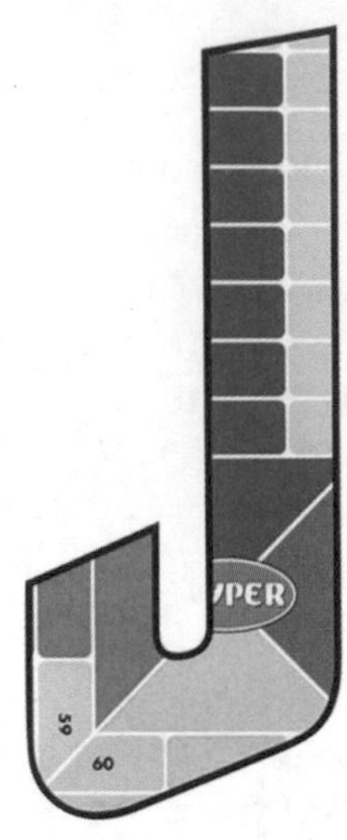

Juegos

Un juego que nos encantaba, y que era de los pocos que teníamos escrupulosamente guardados en su caja en uno de los armarios era el **Tragabolas**. De puro sencillo que era resultaba genial. No se pueden contar cuántas tardes de lluvia nos pasamos en casa dándole a la palanquita. «Que lo vas a romper, bruto.» Aquí sí que éramos los reyes, no había quien nos igualase en coger bolitas del estanque.

Aunque no tuviéramos un **Juegos Reunidos** en casa, siempre había algún primo que en las fiestas de cumpleaños acababa sacando esa caja que prometía horas de diversión. Todo eran cubiletes, fichas y dados, junto a cartoncitos que simulaban tableros de diferentes juegos populares y la joya de la Corona, esto es, una ruleta de casino. Mini, claro. El problema, quizás, es que era para más mayores, y estos podían tirarse toda una tarde jugando a las cartas en la mesita de la cocina sin aburrirse. Nosotros necesitábamos más acción.

Con el **Monopoly** nos pasaba un poco lo mismo. Veíamos a los más mayores disfrutando de lo lindo con él, y los más pequeños no acabábamos de entenderlo. ¿Comprar cosas? Lo bueno era destruirlas, comerlas, matar bichos... Era el típico juego de tablero pero sin pruebas para hacer ni cosas realmente divertidas para un niño. En cambio, es un juego que ha perdurado (de hecho, cuando éramos más pequeños, ya era un juego que tenía muchos años). Supongo que a la gente le gustará eso de comprar cosas...

También en casa de nuestros familiares estaba el **Atrapa la rana**, que solía ser al que pasábamos después de los Juegos Reunidos. Nos encantaba porque nos recordaba al Tragabolas. Era otra especie de es-

tanque (o río) circular con agujeritos donde se metían ranitas de plástico mirando hacia arriba, que abrían y cerraban la boca, y tú con una caña de pescar con una bolita tenías que engancharlas. Juego fácil y que entretenía. Mientras tanto, los mayores seguían jugando a la brisca en la cocina sin moverse de la silla. Difícil de entender...

«Eso son pijadas, en mis tiempos con un lápiz y un papel era suficiente para jugar.» Debe de ser verdad porque se escuchaba siempre, pero nosotros conocimos el **Ahorcado** como juego con su cajita y todo. Y siempre estaba el típico primo mayor que se burlaba de nuestros juguetes, asegurando que los de su época eran mejores. Y eso que solo nos llevaba cinco años... Es difícil saber a quién se le ocurrió semejante crueldad de juego, pero el caso es que nos pasábamos las tardes de lluvia intentando adivinar palabras. «No vale, esa te la has inventado...»

El juego que era fácil, pero en el que no conseguíamos ganar nunca, era el dichoso **Conecta 4**, que también tenía su antecedente como

juego de lápiz y papel, aunque de los dibujados es más conocido el **Tres en raya**. La mecánica era bien sencilla: un panel vertical compuesto de agujeros donde dejábamos caer fichas («Me pido las rojas») e intentábamos dos cosas, por un lado, hacer una línea de cuatro fichas seguidas de tu color, y por otro, y lo más

difícil, evitar que tu contrincante, o sea las fichas amarillas, hicieran la línea.

«¿Tiene bigote? Sí. Vale, entonces no es una mujer. ¿Lleva sombrero?» El **Quién es quién** era uno de los juguetes más divertidos para toda la familia, y es que hasta los mayores (cuando no estaban jugando a las cartas) se enganchaban. Qué bien lo pasábamos con este juego que cuidábamos como oro en paño. «No tires las casillas tan rápido que las vas a romper.» Aun así, alguno de los enganches siempre acababa roto.

El **Operando** se hizo muy popular en los ochenta. Otro juego cruel

porque si perdías matabas al paciente. En cambio, la cosa debía de ser muy divertida porque aún se fabrica...

Y luego estaba el **Simon**. ¿Qué gracia veían en una especie de nave espacial hortera, con lucecitas en la que había que repetir la secuencia que se indicaba? Tendrá su gracia las primeras dos o tres veces, pero ¿alguien se imagina estar toda una tarde jugando con el Simon?

Maquinitas y salas de máquinas

Y llegaron las maquinitas, el antecedente a este submundo de las consolas y demás inventos a cada cual más grandioso (y caro). Las había de todos los colores, melodías y aventuras, muy limitadas, eso sí, pero entonces era lo más, y el que conseguía ya una de dos pantallas era capitán general, admirado, envidiado y odiado a partes iguales. Aquellas maquinitas permitían unos movimientos mínimos, y la gracia estaba en adivinar en qué momento justo se tenía que dar al botón, bien para avanzar, bien para saltar. La pericia era a su vez mínima ya que, una vez aprendido el tempo del juego y de los peligros, aquello era mecánico. Pero había algo en las pantallitas, la musiquita y, sobre todo, en la novedad que nos impedía aburrirnos, y encendíamos una y otra vez el juego para repetir los movimientos automáticos. Hasta que se acababan las pilas de botón (es que molaban hasta las pilas) y teníamos que convencer a nuestros padres de que si nos compraban más pilas, no jugaríamos tanto. No nos

creían, claro, pero acababan comprándolas.

Por aquella época no había niño o niña que no tuviese una, aunque el que se llevaba la palma y con el que todos soñábamos era el **Donkey Kong** con sus dos flamantes pantallas, y aquel gorila tirando barriles como un loco. No es que estuviese mucho más trabajado que los otros, pero eso de que tuviese dos pantallas que se abrían... «¡Buah! Esa chupa mucha pila.»

Paralelamente a estas maquinitas estaban los primeros ordenadores que tuvimos, aquellos Spectrum grises, con un teclado y una pletina para meter los juegos grabados en cassettes. Se tardaba una eternidad en cargar un juego que, en ocasiones, se enganchaba justo antes de empezar a jugar, y emitía un pitido insoportable durante un buen rato, pero ahí estábamos todos emocionados porque el juego ya no lo veíamos en pantallita sino ¡en la tele! Aquellas cassettes las vendían en tiendas de electrodomésticos y de fotografía, en un expendedor giratorio y, cuando convencíamos a los mayores para que nos comprasen aquel de guerra, siempre veíamos otros dos o tres nuevos que también queríamos. Juegos de todo tipo, pero principalmente de destrucción masiva; **After the war**, **Game Over**, el **Comecocos**, Renegade, uno de Rambo, del espacio, hasta uno de Los Cazafantasmas... Tardes enteras consagradas a pasar, o al menos a intentarlo, pantallas para acceder al gran monstruo. Una vez que acabábamos con el monstruo, ¿qué nos

5 PTAS.

PTAS. 5

MONZA
SALIDA
DESESPERADO
CASTROL
Pobre
SHELL
Aprenda
Regular
Bien
Excelente
META
FICHA DE IDENTIDAD
Fabricante PASLEAU Marca EUROMATIC
Nº I. F. J7500703 Nº Reg. especial MA - 1
Modelo MONZA Tipo A Nº Reg. A-015/0002
Nº Fab. Serie M Fecha Fab. DIC.79

quedaba? Pues volver a empezar. ¡Y no nos aburríamos! Uno de los favoritos de entonces era el **Ghost ´n´ Goblins**, aquel donde un caballero pelirrojo (se sabía por la barba) y pertrechado de armadura y un montón de dagas y demás tenía que hacer frente a incontables seres del más allá a lo largo de bosques y cementerios.

Luego, con unos años más, podíamos ir a las salas de máquinas, popularmente conocidas como «donde el jefe». Allí descubrimos el **Cabal**, un juego bélico en el que al protagonista no se le veía la cara ya que estaba de espaldas (supuestamente éramos nosotros los protagonistas) y disparábamos, tirábamos granadas y demás a todos los enemigos que nos atacaban desde el fondo de la pantalla. Cinco duros a cinco duros, nos dejábamos pagas enteras en

aquel juego. Otro mítico fue **Shinobi**, uno de ninjas. Patadas, puñetazos y una cantidad casi ilimitada de *shuriken* que lanzábamos con precisión. Más pagas gastadas en repartir golpes a diestro y siniestro.

Las enganchadas al **Tetris**, «toma he hecho línea triple», al **Golden Axe**, que nos recordaba a los tebeos de Conan que tanto nos gustaban, con aquellas hachas, dragones que servían de caballos, y los saquitos con dinero... Por lo general las salas

de máquinas eran lonjas con la única decoración de unos pósters clavados de la **Metal Hammer** y una serie de máquinas alineadas junto a los enchufes. Allí descubrimos joyas como **Out Run**, una revisión de los míticos juegos de carreras de coches, pero en un descapotable rojo, ¡qué más querías!, y sobre todo el **Double Dragon**, otro juego de artes marciales que, en un principio, nos recordaba al Shinobi pero que pronto se convirtió en nuestro favorito. Aquí no había capuchas ni *shuriken*, pero nos subíamos a camiones y acabábamos viéndonoslas con el monstruo (siempre llamábamos monstruo al rival que aparecía al final, aunque fuese una persona).

Muñecos y muñecas

Salvo alguna excepción, los juegos anteriormente citados eran para jugar en familia o con los amigos, sin distinción de sexos. Nadie te llamaría nenaza por jugar al tragabolas ni marimacho por divertirte con el ahorcado, por ejemplo. Pero tenemos que adentrarnos en un submundo donde la distinción de sexos es fundamental: la de los muñecos y las muñecas.

Aquí ya sí que no hay medias tintas: los muñecos bélicos y rudos eran para ellos, y las princesitas y bebés llorones, para ellas.

Por un lado, se encontraba He-Man y sus aliados luchando contra la temible horda de Skeletor. Los inolvidables **Masters del Universo**, que eran de lujo, ya que costaban en torno a las mil pesetas la figurita, de plástico duro, rematada con una cabeza blandita, como para darle otro tacto y realismo al conjunto. Espada y brujería, mucho antes de que nos bombardeasen los hobitts y demás orcos. Lo difícil era que nos regalasen el Castillo de Grayskull. En el anuncio de la tele aparecía escrito abajo y muy pequeñito que valía más de cinco mil pesetazas y, claro, los mayores no pasaron por ahí. «Si es un trozo de plástico», nos decían, como si pretendiesen convencernos de algo, sin conseguirlo, claro. Así que nos tocaba fabricarnos uno con los cojines del sofá del salón (lo de construir es un decir, era una especie de dolmen torcido). Finalmente el sofá entero nos servía de campo de batalla y fue mejor el remedio que la enfermedad.

En las antípodas de nuestras batallas campales estaban ellas con sus **Barriguitas**, unos bebés zambos de plástico. Todos exactamente iguales, solo se diferenciaban en el pelo y la ropa, y en algún caso en

muñecas

el color de la piel y en los ojos un poco rasgados si eran orientales, y es que la gracia de las Barriguitas es que las había de todas partes del mundo. No se sabe por qué razón los bebés de Famosa provocaban una rabia inexplicable en los niños que les obligaba a tirarlas y ver si botaban. «Mamáaaaaa aaaaaaaaaaaaa aaaaaaaaaaaa aaaa.» Hoy en día siguen saliendo colecciones de Barriguitas, de todo tipo de razas, etnias y temáticas.

Había una rivalidad entre la **Nancy** y la **Lesly**. Una rivalidad entre los fabricantes, claro está, ya que cada una tenía sus vestiditos, sus complementos y sus novios, perdón, amigos especiales. Tanto Nancy como Lesly eran chicas normales al igual que las niñas que jugaban con ellas, lejos de las curvas insultantes de la rubísima **Barbie** que, desde su jacuzzi de plástico, empezaba a crear complejos. Eso sí, a las dos se les apelmazaba el pelo una cosa mala...

Y llegó la invasión de los **Clicks y Clacks**, dependiendo de si eran chicos o chicas, con una licencia de Famosa para traernos los **Playmobil** alemanes. Había héroes y princesas, pero también personal de circo, piratas, astronautas y hasta un equipo de televisión, haciendo que un juego en el que intervenían los oficios resultase cuando menos delirante. Al final todo eran tiros, y las cámaras de televisión eran bazucas enormes. Cosas de chiquillos. En sus más de treinta años de existencia se ha generado una fiebre mundial por estos muñequitos de plástico duro y cara de pan que llena congresos y muestras. No me extraña que estos clicks siempre estén sonriendo...

¡OLA!
NÚM. 0 · Especial Yo fui a EGB
EXCLUSIVA: ARGANBOY HACIENDO
BREAK DANCE MIENTRAS DESENFUNDA
EN 2009,
BARBIE CELEBRÓ
SU 50 ANIVERSARIO:
“Me conservo como
el primer día”
Kiss Cris
9 770214 389002
DESMIENTEN TODOS LOS RUMORES SOBRE SU POSIBLE
DIVORCIO Y ANUNCIAN QUE EN BREVE HABRÁ SORPRESAS
BARBIE Y KENT NOS ENSEÑAN SU LUJOSA MANSIÓN DE MARBELLA

Los más veteranos de la clase recordarán antes que los clicks a los vaqueros e indios del **Fuerte Comansi**. Más sencillos y con menos artilugios, aquellos fueron pioneros en esto de los muñecos ortopédicos. Hoy cuesta encontrarlos, pero algún revivalista pagaría el oro y el moro por conseguirlos.

Viendo los fabricantes que cuando a los niños no les da por patear una pelota lo que más les gusta es jugar a ser héroes en peligrosas misiones aparecieron muñecos de élite, personajes con nombre en clave y aspecto rudo. **Geyperman** por aquí, **G.I. Joe** por allá... Y estos muñecos lo tenían todo: estaban cachas, eran hábiles con las armas y la supervivencia y además valientes. Vamos, lo que queríamos ser nosotros, al menos cuando pasaba por delante la chica que tanto nos gustaba de la clase de enfrente. Solo que ni los Geyperman ni los G.I. Joe tenían tanta capacidad para hacer el ridículo como nosotros...

Otro muñequito que nos gustaba a todos, chicos y chicas, era aquel **paracaidista** de plástico rígido agarrado con unas cuerditas a un trozo de plástico que se desplegaba cuando lo tirabas desde una altura (por lo general desde la ventana de casa). Solían lanzarlo desde los aviones sobre las playas repletas a modo de publicidad agresiva. Simple pero eficaz. Lo malo era subir y bajar las escaleras de casa para recogerlo una y otra vez... Y a veces ya no lo encontrabas...

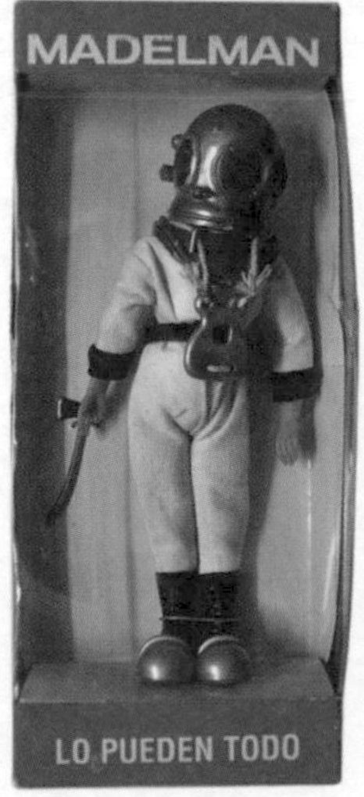

Originalmente, en España, los Playmobil se llamaron Famobil porque era una mezcla entre Famosa y Playmobil.

Otros juguetes

Otra de las cosas que más nos gustaba era las guarrerías, por eso se hizo tan popular el **Blandiblub**, esa especie de moco que venía en un cubo. Una masa viscosa que olía mal y que acababa cogiendo toda la porquería del suelo haciendo aún más asqueroso el conjunto final. Incluso se incorporó en una caja de Masters del Universo, llamándolo Masa siniestra. ¿Para qué servía? ¿Se podía comer?, seguimos pensando...

Un juguete que ha trascendido con los años y lo disfrutan (y padecen) personas de todas las edades es el puñetero **cubo de Rubik**. ¿Alguien ha conseguido hacerlo? Y no vale ir despegando las pegatinas... Aquello era una tortura para un niño. Se le regalaba aquel cubo en apariencia inofensivo y se acababa convirtiendo en una pesadilla para toda la familia. «Espera, espera... Mira, tengo una cara hecha...»

Otro juego de habilidad, más sencillo pero igual de desquiciante, era la **maquinita rellena de agua** con aritos de colores que había que encajar en palitos. Cada vez que pulsabas el botón los aros eran empujados por un chorro de agua, desbaratando también a los que ya tenías bien colocados. ¡Y vuelta a empezar!

Pero, al margen de los juegos de habilidad, en los que no éramos muy buenos que dijéramos, lo más divertido, sobre todo en verano, eran las **pistolas de agua**, sobre todo las rudimentarias con agujerito con las que nos mojábamos nosotros más que nuestro oponente. Luego los ingenieros fueron mejorando las armas y el chorro llegaba incluso más lejos. Por otro lado, estaban las pistolas de pistones que tenían el añadido del sonido, el humillo y ese olor a pólvora...

Lo de los recortables y las maquetas era para expertos y manitas, para los que sacaban sobresalientes en pretecnología (no era el caso de algunos). Eso sí, lo de los **Exin castillos** se nos daba muy bien a todos por lo sencillos que eran. Al menos los de la serie clásica, porque luego la cosa se iba complicando y aquello se volvía imposible. Luego, es cierto que no sabíamos qué hacer con el castillo una vez terminado, pero lo bien que nos lo habíamos pasado construyéndolo nadie nos lo quitaba.

¿SABÍAS QUE...?

El cubo de Rubik fue creado en 1974 por un escultor y profesor de arquitectura llamado Ernö Rubik y que se han escrito libros, tratados y un montón de estudios para hacer más fácil su resolución.

Aunque no era un juguete propiamente dicho, si con algo hemos jugado la mayoría de las familias de este país es con el **balón de Nivea**, que también lanzaban desde los aviones sobre las playas y, a veces desafortunadamente, sobre el mar. Hemos disfrutado horas y horas antes de que el pitorro se llenase de arena y se deshinchase solo.

También en la playa, aunque realmente se podía hacer en cualquier parte, había mucha afición a bailar el **Hula Hop**. Aquella especie de aro que movíamos con un movimiento de caderas que no gustaba mucho a los chicos. ¿Desde cuándo se ha visto a un héroe de acción moviendo así las caderas? Sea como fuere, la cosa no es tan sencilla como parece, por mucho que nos pongan la canción aquella de «Baila con el hula hop...».

Y por último hay que mencionar otro objeto que tampoco es que fuese propiamente un juguete, pero que nos matábamos por tenerlo, y luego cuando lo teníamos nos descalabrábamos con él. Me refiero al mítico **Sancheski**, el patinete naranja; el patinete más económico de la época y que hoy está cotizadísimo en la red. A ver... ¿Cuántos dientes perdisteis gracias a él?

Desde luego juguetes y juegos hay mil y es que era la mejor forma que teníamos de establecer relaciones sociales y de hacer amigos, aunque la mayoría de las veces que nos enfadábamos entre nosotros la culpa también era de los juegos. En la calle, en casa, con amigos o solo, lo importante ha sido, es y será jugar. Nunca se debe dejar de jugar, tengas la edad que tengas.

4

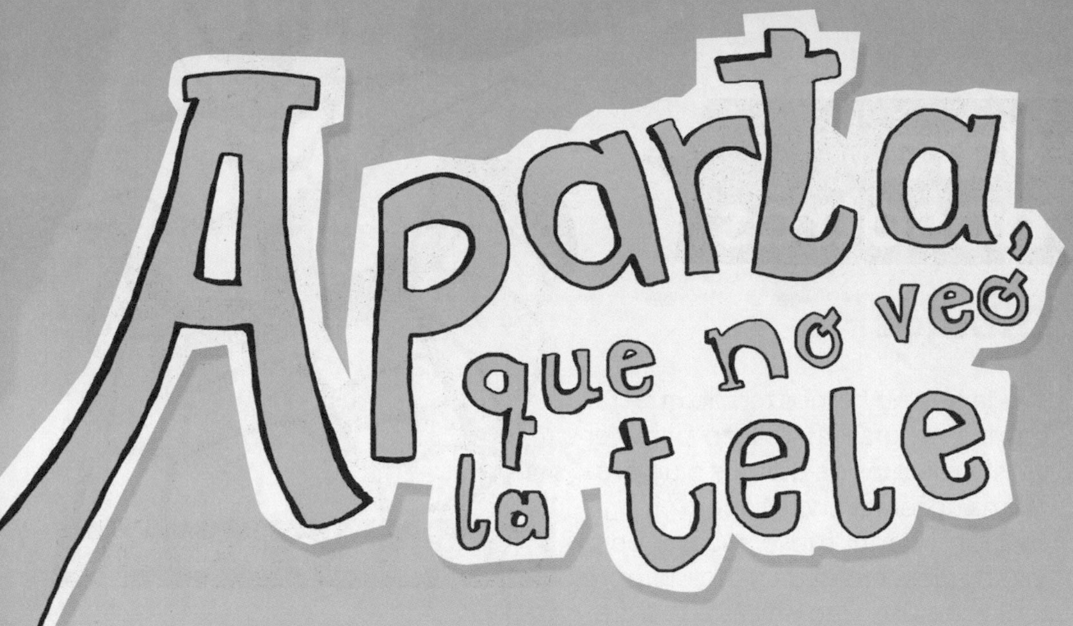

¡Mira que tuvimos suerte y nacimos con tele en casa, que si no parte de nuestra infancia habría sido diferente! Los mayores nos cuentan que ellos cuando eran niños jugaban más en la calle, que si lo de la tele es un engañabobos, una caja tonta donde solo se ponen majaderías, pero eso no es verdad. Teníamos de todo: informativos (aburridísimos, eso sí), dibujos, programas de música, uno donde nos decían que más valía prevenir que curar (para los mayores), uno que se llamaba *Testimonio* donde salían curas hablando, muchas series, la película del sábado por la tarde, la del sábado por la noche, el *Un, dos, tres*...

Pero nada, no hay manera, parecía que la tenían cogida con la tele y siempre que nos querían molestar nos castigaban sin poder verla. Pero ¿se puede saber porqué le tenían tanta manía? Luego hablabas con los abuelos y nos decían que bien contentos se pusieron nuestros padres cuando tuvieron su primera tele en blanco y negro.

«Mamá, ¿puedo ver los dibujos?» «No, hasta que no termines todos los deberes». «Jo, es que son muchos y los dibujos se van a acabar...» Dura vida la de un niño, pero pongo a Dios por testigo (como dijeron en la peli de ayer) que cuando sea mayor y viva en mi propia casa me voy a comprar una tele enorme y la voy a ver todo lo que yo quiera. Hasta las pelis de dos rombos.

Para nosotros

Dibujos

¡Anda que no hemos tenido que tragarnos programas rollazo para ver veinte minutos de dibujos o un programa decente! Y no es que la programación infantil fuese escasa, pero estaba desperdigada y no siempre teníamos un vídeo en casa para grabar todo lo que nos interesaba. Unos dibujos por aquí, un programa por allá, aquella serie dos días después... Qué estrés.

Principalmente eran los dibujos lo que más nos gustaba. Daba igual que su temática fuese más masculina o femenina, todos veíamos todo; no importaba si eras una chica que jugaba con Leslys y Nancys, en cuanto ponían **Mazinger Z** corrías igual que tu hermano a la sala a ver cómo se las ingeniaba Koji Kabuto para desbaratar los planes del doctor Hell. Porque los robots gustan a todo el mundo. Ahí no hay discusión posible.

Al igual que los robots, los dragones y las historias de espadas y castillos son del gusto de todos. Y, por supuesto, nos encantaba **Dragones y mazmorras** (por cierto, pedazo de título para una serie), aunque a más de uno le daba miedo y no quería

CUESTIONARIO MAZINGER Z

¿Sabes en qué año nació *Mazinger Z*?
a) 1945
b) 1980
c) 1972

¿De qué material está hecho el robot en cuestión?
a) Estaño y cables
b) Japanium
c) Adamantium enriquecido

¿Qué gritaba Afrodita al lanzar sus misiles?
a) ¡Pechos fuera!
b) Pobre del que le pille
c) Nada de lo anterior

¿Cuánto medía Mazinger Z?
a) 18 metros
b) 24 metros
c) 35 metros

saber nada de montarse en el tren de la bruja. Chicos de nuestra edad viviendo un montón de aventuras fantásticas. ¿Quién quería más?

¿SABÍAS QUE...?

La serie fue considerada en su estreno como los dibujos más violentos jamás emitidos, claro que eso fue antes de *Dragon ball*, *Los caballeros del Zodíaco* y tantos otros... Además, se le acusaba de tener contenido oculto y peligroso para el pobre espectador.

Algo que llama la atención es que la mayoría de los dibujos estaban protagonizados por animales (¿supuestamente así gustaban más a los niños?). Uno de los más conocidos era el de **D'Artacán y los tres mosqueperros**, con lo delirante que es ver a unos perros con sombrero y capa luchando por el bien... Pero, eso sí, una vez metidos en la historia nos creíamos que un chucho era el mayor de los héroes, o que un león era un elegante londinense, capaz de dar la vuelta al mundo en menos de tres meses, y es que **Willy Fog** es mucho Willy Fog. Y dentro del delirante mundo de los dibujos cualquier animal podía ser protagonista de mil aventuras, desde una abeja (**La abeja Maya**) hasta una hormiga (**Ferdy**), pasando por ardillas (**Banner y Flappy**), un koala (**Mofli**) y un largo etcétera, teniendo a **Los Trotamúsicos** como ruidoso ejemplo y a **La aldea del Arce** como ejemplo cívico. Eso sí, no todos los animales eran valientes: ahí teníamos al pobre **Scooby Doo** con ganas de irse a casa en todo momento...

No siempre eran protagonistas los animales. Teníamos a valientes chicos como **Ruy, el pequeño Cid**, a enloquecidos caballeros como **Don Quijote**, a héroes mitológicos surcando el espacio como **Ulises 31**, a supergrupos como el **Comando G**, que siempre estaban alerta (así nos lo recordaba el grupo Parchís), a **Los caballeros del Zodíaco** con sus aventuras que rozaban el culebrón, a **Heidi** y a **Marco**, que tanto nos conmovieron, a **Vicky el vikingo** con sus luminosas ideas, y a tantos y tantos otros.

Pero lo que nos gustaba de verdad, aparte de los animales, eran los seres y bichos de todo tipo, y por lo general pequeños, teniendo como protagonistas estelares a **Los pitufos**, esos seres azules y extrañamente felices, a pesar de los ataques de Gargamel, que vivían en una aldea colorista, o a los diminutos que se alojaban en las paredes de nuestras casas o a **David, el gnomo** y familia, haciendo lo propio dentro de un árbol del bosque. Este último era simpático a pesar de esa chulería de «soy siete veces más fuerte que tú y veloz». ¿Qué nos quería decir con aquello...?

En cuanto a los bichos nos parecían simpáticos los **Ewoks**, los peluches abrazables sacados de **Star wars**, **Los Barbapapás** con sus formas de pera y esas sonrisas, y nos divertían **Los Snorkels** con esos tubos que les salían de las cabezas.

Y nuestros padres utilizaban vilmente los dibujos para mandarnos a la cama cuando ellos querían: a los que sois más mayores con **La familia Telerín**, y a muchos de nosotros nos despachaban rápido con **Casimiro**, una especie de bicho peludo y voz ronca que vivía en un castillo. Iba de majo pero nos mandaba a dormir porque empezaban las pelis con rombos. «Jo, déjame cinco minutos más...» «Nada, ya ha salido Casimiro y toca acabar el día.» En fin...

Programas

Cuando acababan los dibujos y empezaban los programas, los padres eran menos rigurosos y también se sentaban en el sofá a ver la tele con nosotros. Sobre todo si se trataba de programas concurso. Quizá fuese por la musiquilla, por las pruebas, por todo el colorido o porque les gustaba la idea de ganar mucho dinero por contestar bien una pregunta.

Los programas concurso no es que fuesen especialmente para niños, pero también nos gustaban y no poníamos tantas pegas como los mayores, que se la tenían jurada a los dibujos.

Este tipo de espacios estaban hechos para entretener a gente que no se atrevería a ir a un plató a hacer el ridículo, pero que desde el sofá de la sala se sabía todas las respuestas. «¡Pero si esa es facilísima!»

¿SABÍAS QUE...?

El *Un, dos, tres... responda otra vez* se llamó precisamente así porque Chicho Ibáñez Serrador decidió unir los tres tipos de los programas concurso que existían: las preguntas y respuestas, las pruebas físicas y el azar con un alto componente psicológico (la decisión de coger o dejar un regalo oculto). Claramente el programa se dividía en tres partes.

CUESTIONARIO

¿Cuál de las siguientes no fue mascota del programa?
a) Ruperta
b) Boom
c) Botilde
d) Carabás

¿Cuántas temporadas estuvo en antena el programa?
a) 5
b) 10
c) 15
d) 8 y media

¿Quiénes eran los sufridores?
a) Los concursantes
b) Los eliminados
c) Los que conocían el contenido de las tarjetas pero no concursaban
d) Los novios de las Tacañonas

¿Cuál de estas cuatro personas no presentó el programa?
a) Mayra Gómez-Kemp
b) Miriam Díaz-Aroca
c) Kim Manning
d) Kiko Ledgard

¿Cómo se llamaba la chavala más dicharachera del 83?
a) Charito Mucha marcha
b) La Bombi
c) La Pelos
d) La Chavita

De todos los programas concurso, el que más nos gustaba sin duda era el **Un, dos, tres**, dirigido por Chicho Ibáñez Serrador, que solía presentar el programa cuando empezaba una temporada y lo despedía cuando terminaba. Los mayores siempre nos contaban lo mismo: «Es hijo de Narciso Ibáñez Menta que hizo una serie en blanco y negro de mucho miedo llamada **¿Es usted el asesino?**». Y que el propio Chicho dirigió una serie también en blanco y negro y también de miedo llamada **Historias para no dormir**. Al parecer, esas series aterrorizaron a nuestros padres mucho más que nuestras notas.

De *Un, dos, tres* molaba todo: las sintonías, las mascotas, las azafatas, Don Cicuta, los supertacañones, las tacañonas, las preguntas, las pruebas físicas, las actuaciones, los humoristas... Y nos reunía a toda la familia cada viernes por la noche. Eso de repetirlo el sábado por la mañana era ya un poco exagerado y precipitado...

En ese programa conocimos a un montón de gente de la farándula; humoristas (Bigote Arrocet, Freda Lorente, Eugenio, Arévalo, El dúo Sacapuntas, Raúl Sender, Manolito Royo, Ángel Garó...), actrices (Ágata Lys, Victoria Abril, Lidia Bosch, Silvia Marsó...), cantantes (Nina, Pepe da Rosa...). Parecía que a Chicho no se le acababa la originalidad.

Y es que no nos cansábamos de ver el programa, viernes a viernes, año tras año. Se convirtió en un evento social. Claro que ayudaba mucho el hecho de que solo hubiese dos canales y que en la segunda cadena, la UHF, la programación fuese menos divertida. Además, antes la programación no duraba todo el día como ahora, tenía su hora de comienzo y de final, con lo que las miradas se acababan centrando en los programas de máxima audiencia, y se convertían en Trending Topic sin necesidad siquiera de que existiese internet. Y por supuesto *Un, dos, tres* fue Trending Topic durante años.

Pero si hablamos de programas concurso, sería injusto quedarnos solo con el de Chicho y compañía, así que vamos a confeccionar una pequeña lista con otros programas que nos gustaba ver:

★**A la caza del tesoro:** Nuestro Indiana Jones particular, **Miguel de la Quadra-Salcedo** seguía las órdenes de los concursantes para encontrar un tesoro escondido, vete tú a saber dónde... El programa lo presentaba **Isabel Tenaille**.

★**Cifras y letras:** Lo presentaba **Elisenda Roca** y fue el antecesor de lo que luego fue *Saber y ganar*. Un poco de cultura antes de los documentales de animales.

★**El precio justo:** El desaparecido **Joaquín Prat** nos llamaba a jugar y lo que había que hacer era adivinar el precio de determinados productos. O al menos acercarse más que el resto de los concursantes.

★**El tiempo es oro:** Con este programa aprendimos, además de un montón de cosas, la importancia del tiempo. Y a aprender a buscar información en una enciclopedia...

★**Juego de niños:** Los adultos tenían que adivinar de qué hablaban los niños de diferentes colegios. Algo realmente difícil... Eso sí, ¡podías llevarte un gallifante!

★**Lingo:** Ramoncín presentó este concurso en el que había que crear palabras con las letras que iban apareciendo. Típico programa de la 2.

★**Si lo sé... no vengo:** Antes del más reposado *Saber y ganar*, Jordi Hurtado, junto a Virginia Mataix, presentó el alocado concurso de preguntas y pruebas.

★**3x4:** Un programa de sobremesa con preguntas, entrevistas, actuaciones... ¡ah! Y comodines...

★**Vip noche**: La época en que Emilio Aragón se pasaba todo el día en los platós de Tele5. *Vip guay*, *Vip noche*, galas...

★**Los sabios:** Un programa presentado por Isabel Gemio y que era para que los empollones de clase fardasen un poco...

FÍJATE EN ESO QUE BRILLA
ENCIMA DE LA CAMILLA
SIN PILAS NI ENCHUFES A LA RED
PUEDES VER CUALQUIER VIDEO CASETE
ESTA BOLA DE ADIVINA
PONE MÚSICA DIVINA Y
SIN PLATOS NI AMPLICADOR
SUENA IGUAL QUE LA TELEVISIÓN
ZOOM
ZOOM
CULOMBIO Z
CULOMBIO Z
Y ME PE
UN VO
aprended estas palabras
SON EL NUEVO
ABRA CADABR

Al margen de los programas concurso teníamos esos otros programas pensados para nosotros, que nos hacían más fáciles los días, y que veíamos con los deberes a medio hacer. Todos ellos tenían mucho color, presentadores gritones o extravagantes y estaban llenos de dibujos, teatrillos y actuaciones.

Si nos ponemos a pensar, seguramente el primero que nos viene a la cabeza sea el de **La bola de cristal**, que daban los sábados por la mañana y que duraba tanto. Los padres nos recriminaban el hecho de estar viendo la tele desde tan temprano, y nosotros, ajenos a tanta queja paterna, nos dejábamos llevar por los electroduendes, Alaska y demás fauna. Es cierto que visto ahora no queda ninguna duda de que el público perfecto para el programa no era precisamente el infantil, ya que los electroduendes lanzaban dardos ácidos contra políticos y problemas sociales del momento, y la Bruja Avería era mala porque adoraba el dinero («Viva el mal, viva el capital»). Nosotros veíamos a aquellas marionetas como el que mira unos dibujos, aunque normalmente no entendíamos nada (o muy poco) de lo que decían.

El programa estaba dividido en cuatro partes, y se puede decir que cada parte estaba destinada a un público de edades diferentes siendo (supuestamente) la primera, la de **Los electroduendes**, la más infan-

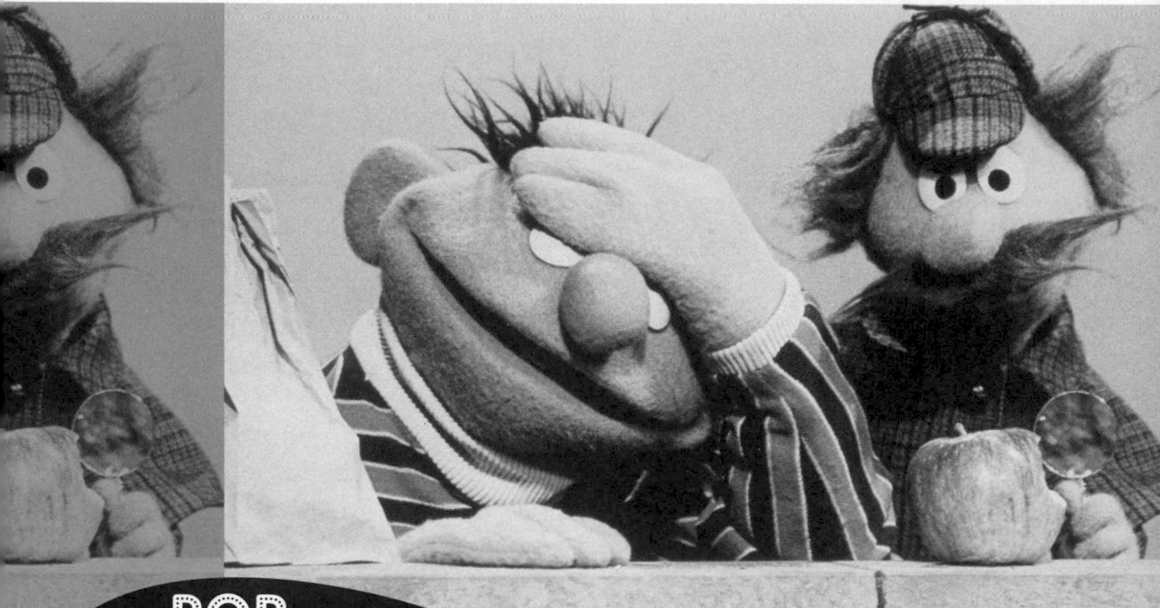

POR SATICÓN, ORTICÓN Y PLUMBICÓN, BOMBARDEEMOS LA TELEVISIÓN

til. La segunda parte se llamaba **El librovisor** y hacían *sketches* sobre libros famosos. Aquello ya no nos gustaba tanto, puesto que eran actores y no muñecos los que salían, y a menudo no entendíamos nada. Es cierto que el aspecto de Alaska era como ver a un electroduende de carne y hueso, pero aquello ya no era tan infantil. Luego venía la tercera parte, **La banda magnética**, en la que ponían una serie muy antigua en blanco y negro. Primero fue **La pandilla**, y aquí retomábamos el interés con alfalfa y compañía, y más tarde dieron **La familia Monster**, igualmente divertida. En cuanto acababa el capítulo, empezaba la sección para los más mayores llamada la cuarta parte, que presentaba Javier Gurruchaga y en la que había entrevistas y vídeos musicales de grupos de moda (Loquillo, Radio Futura, Gabinete Caligari...).

A pesar del cariño con que se recuerda el programa, apenas duró cuatro años en antena, precisamente por la carga ideológica que alber-

gaba y fue sustituido por **Cajón desastre** que presentaba Miriam Díaz Aroca. El programa también tenía teatrillo, actuaciones, una especie de concurso y, lo mejor de todo, los *sketches* de **Faemino y Cansado**. Allí les conocimos y después nos tragábamos aquellas galas larguísimas solo por ver su actuación.

Otro programa por excelencia era, sin duda, **Barrio Sésamo**, que asociábamos a los bocadillos de chocolate de después de clase. **Espinete**, don Pimpón, Chema el panadero, Ana y todos los demás abrían la tarde con sus historias para todos los públicos (perdón, para los más pequeños). El programa era una versión del famoso *Sesame Street*. Nuestro hermano mayor nos recuerda que antes que Espinete quien vivía en ese barrio era la gallina Caponata, pero donde esté el gigante erizo rosa... Aparte de las historias de Espinete y compañía, tenía un montón de vídeos del programa original y *sketches* de Coco (que nos ayudaba a situarnos), de Tricky (como loco cada vez que veía una galleta), del conde Drácula (empeñado en enumerar todas las cosas) y muchos otros personajes a cada cual más delirante.

Las tardes estaban repletas de programas para nosotros y cada uno tenía su día de emisión y sus características, aunque al final casi todos se parecían: actuaciones de los cantantes infantiles de moda (**Torrebruno, Teresa Rabal, Enrique y Ana, Botones**...), dibujos, muñecos y mayores haciendo tonterías para que nosotros nos partiésemos de risa. Vamos a recordar el nombre de algunos:

★**Planeta imaginario:** Empezó siendo en catalán y cuajó en la televisión de aquellos años por ese toque teatral, con pretensiones culturales y mundos increíbles. Algunos niños se aburrían como ostras viéndolo, pero a otros les fascinaba.

★**Dabadabadá y Sabadabadá:** Nombre extraño para un programa (bueno, dos). El primero se emitía los jueves y el segundo los sábados. Presentado por Mayra Gómez-Kemp, Torrebruno y Sonia Martínez de principios a mediados de los ochenta.

★**El kiosco:** Lo presentó Verónica Mengod y era un programa casi diario (de lunes a jueves) que vino a ser una especie de continuación de *Sabadabadá*. Se emitió de mediados a finales de los ochenta. Una de las atracciones era ver al muñeco Pepe Soplillo.

★**Un globo, dos globos, tres globos:** ¿Quién no ha cantado alguna vez esa canción? Seguro que mientras leías el título la ibas cantando. Emitido desde mediados de los setenta hasta casi los ochenta. Lo presentó María Luisa Seco, y entre los guionistas estaba Lolo Rico, guionista a su vez de **La cometa blanca** y creadora años después de *La bola de cristal*. También aquí el contenido del programa iba de más infantil a más juvenil o adolescente. Dentro del programa se incluía el concurso **El monstruo de Sanchezstein**.

★**3,2,1... Contacto:** Este programa lo daban de lunes a miércoles, y era otra versión española (al igual que **La casa del reloj** o *Barrio Sésamo*) de un famoso programa estadounidense llamado *3,2,1... Contact*. A pesar de estar bastante bien hecho, no era tan popular entre los más pequeños ya que la idea era acercarles la ciencia a los hermanos mayores. Lo presentaba, entre otros, Sonia Martínez.

★**El libro gordo de Petete**, el personajillo que se nos hacía el listillo hablándonos un poco de todo.

★**Mazapán:** Lo de este programa es de Expediente X, ya que solo se emitió un año, 1984, en Navidades, pero muchos de nosotros lo recordamos con cariño, igual porque cada día nos daban una peli de dibujos dentro del programa. Los presentadores fueron Teresa Rabal y Torrebruno.

★**El gran circo de TVE:** Claro que si nos vamos a la tele en blanco y negro los protagonistas indiscutibles, con permiso de los **Chiripitifláuticos**, fueron los payasos de la tele. Un montón de niños riéndose, cantando las canciones y contestando a la pregunta: «**¿Cómo están ustedeeeeeees?**». Por cierto, desde entonces nadie ha tenido la deferencia de tratar a los niños de «usted».

Pero programas ha habido, hay y habrá un montón. Ya sea para niños, jóvenes o más adultos. El mérito estaba en haber tenido todos aquellos programas en apenas dos canales (casi se podría decir que en uno solo), y la capacidad de juntar a buena parte de la familia porque ¿cómo es posible que en unas fechas tan señaladas y familiares como las navideñas estuviésemos todos (incluyendo personas a las que hacía mucho que no veíamos) pendientes de cada *sketch* de **Martes y 13**?

El caso es que aquellos especiales de fin de año eran una tradición más, como el cava o los polvorones, y se volvían a emitir días después. Claro que nosotros los grabábamos y los veíamos una y otra vez. Y además eran la excusa perfecta para estar hasta más tarde viendo la tele, con la secreta esperanza de ver a otra **Sabrina** descuidada por ahí...

POSTALITAS DE Petete
22
23
27
28
26
34
32

Series

Las series merecen capítulo aparte y es que aparecieron en nuestras vidas mucho antes que las películas; los primeros héroes, los primeros malvados, incluso los primeros amores platónicos nos llegaron a través de ellas. Casi podríamos decir que las primeras aventuras y diversión real se las debemos a estas minipelículas de media hora que solían amenizarnos la sobremesa en la mayoría de los casos.

Al igual que pasaba con los dibujos, en las series no había

¿SABÍAS QUE...?
Los hermanos Guido y Mauricio de Angelis, también conocidos como Oliver Onions, además de componer las canciones de *Sandokán* y de *Orzowei*, fueron los autores de melodías tan conocidas como las de *El bosque de Tallac, Banner y Flappy, D´Artacán y los tres mosqueperros, Ruy el pequeño Cid* o *La vuelta al mundo de Willy Fog*, y para el cine su melodía más conocida es la canción de la película *Y si no nos enfadamos* de Bud Spencer y Terence Hill.

géneros y a todos nos gustaba todo. Quizá los chicos éramos más de puñetazos y patadas, pero veíamos teleseries de risa y no pasaba nada.

Por empezar con un tipo de series, vamos con las de aventuras y peligros. Una de ellas fue Sandokán («el que tiene el culo como un mazapán», según un cántico popular infantil); la versión para la tele de la serie de novelas de Emilio Salgari fue un hito en nuestra televisión allá por los setenta, y eso que solo se emitieron seis episodios. No es que fuese el no va más de la acción y de los efectos especiales, pero nos bastaba ver a Kabir Bedi con la espada en mano para emocionarnos.

Otra serie también de paisajes exóticos y con una sintonía compuesta por los mismos que hicieron aquella de *Sandokán*, los hermanos de Angelis, es **Orzowei**. «Corre muchacho ya, no te detengas más», como decía la versión en castellano de Enrique y Ana. La serie era, como la mayoría de las de aquella época, una coproducción italoalemana y vino a cubrir, además sin avisar, el hueco dejado por *Mazinger Z*. Una difícil tarea, pero que consiguió llevar a cabo a pesar de las primeras quejas de los fans del robot.

Pero no todos los aventureros eran chicos, ni mucho menos, ya que teníamos a la disparatada **Pippi Calzaslargas** que, con la excusa de vivir sola, hacía lo que le venía en gana. Siempre esperando a que llegase su padre, un pirata rey, y acompañada por sus vecinos Tommy y Annika en las mil y una aventuras. Fue otra serie basada en libros (en este caso la autora era Astrid Lindgren), que nos encantaba a todos.

Y entramos en los ochenta y las aventuras ya no eran corriendo por bosques o a caballo, sino que nos montamos en un coche negro, molón y que hablaba, llamado KITT, **El coche fantástico**. Bueno,

lo de que nos montamos es un decir, en nuestro lugar lo hacía el rizoso y peludo Michael Knight, al que le daba tiempo, en lo que duraba un capítulo, a que le explicasen el problema, a caer preso de los malos, a vencerlos y a ligarse a la chica de turno. Sin olvidarnos de las ácidas conversaciones que se traía con el coche. La serie se estrenó en 1982 y duró cuatro temporadas, con algún que otro telefilm. Muchos años después hicieron un remake pero aquello ya no era lo mismo.

Todo transcurría de manera normal hasta que el cielo se llenó de naves espaciales que bajaron a la Tierra. De ellas salieron alienígenas con forma humana y vestidos con uniforme rojo. Todavía no sabíamos que ***V***, aquella serie de apenas veinticuatro episodios, iba a ser la revolución de la tele a mediados de los ochenta. No era la primera vez que veíamos a alienígenas invadir la Tierra, pero sí era la primera vez que los veíamos comerse a benditos roedores y arrancarse la piel. La serie nos daba repelús y nos encantaba a partes iguales. Hasta el punto de que salieron gominolas con forma de ratas para que repitiésemos los grandes momentos en el parque, aparte de usar el pegamento para

¿SABÍAS QUE...?

El famoso nombre del coche fantástico, KITT, son las siglas de Knight Industries Two Thousand, algo así como Industrias Knight 2000. Knight, además del apellido del protagonista, significa caballero.

echarlo sobre la palma de la mano, esperar a que se secase y arrancarlo como si fuésemos lagartos...

«En 1972 cuatro de los mejores hombres que formaban un comando...» De esta manera tan documental empezaba una de nuestras series favoritas, y es que **El equipo A** cuajó desde el principio, convirtiéndose en nuestros héroes, torpes de puntería, eso sí, pero héroes al fin y al cabo. Acción para todos los públicos, sin sangre, sin muertes, con una violencia moderada...

Dentro de las series amables, las que gustaban más a las chicas, estaban **Vacaciones en el mar**, con toda aquella tripulación tratando de que sus clientes estuviesen a gusto, aunque siempre había problemas; **La casa de la pradera**, para hartarse de llorar con las desgracias de los Ingalls (solo comparables a las desdichas de Heidi y Marco); **Hotel** que era como *Vacaciones en el mar* pero en tierra, donde salía Connie Selleca, que nos gustaba mucho desde que la vimos en **El gran héroe americano**, y sobre todo **Fama**, y es que mira que les gusta a las chicas eso de las coreografías. Aquella serie batía récords cada vez que Leroy y compañía aparecían en pantalla.

¿SABÍAS QUE...?

En el episodio piloto el personaje que hacía de Fénix no fue Dirk Benedict, el actor que hizo de guaperas el resto de la serie, y que el nombre real del personaje era Face, al igual que M.A era realmente B.A (Bad Attitude). Claro que en el doblaje llamarle Bea...

Luego estaban las de risa que nos gustaban a todos por igual: **Enredo**, aunque esa decían que era para mayores y la daban muy tarde; **Benny Hill**, que aunque era un poco verde nos la dejaban ver; **Los Ropper**, origen de ese subgénero de matrimonios que se llevan fatal; **Con 8 basta** (casa abarrotada de familiares equivale a comedia, eso es sabido); **Los problemas crecen**, con el amigo Kirk Cameron volviendo loquitas a todas...

Y como reseña aparte tenemos que hablar de **Verano Azul** o las múltiples muertes de Chanquete. ¡La repusieron tantas veces! El enésimo éxito de Antonio Mercero gustaba a grandes y a pequeños por igual, ya que los actores adultos eran de gran nombre (Carlos Larrañaga,

María Garralón, Antonio Ferrandis, Concha Cuetos...) y de los jóvenes había para todos los gustos. «Me pido a Bea, pues yo a Pancho...» Nunca un veraneo dio tanto de sí en la televisión. Desde su estreno (curiosamente no fue en verano) se convirtió en un éxito, tal vez por emitirla el domingo por la tarde, que es cuando, deprimidos por tener clase al día siguiente, veíamos la tele sí o sí...

Dos rombos

Pero, como en todo, también en la tele había cosas que no eran para nosotros y no nos dejaban ver. «¿Es porque dicen tacos? ¿Porque hay sexo? ¿Por qué no puedo verlo?» Estas conversaciones se repetían en cuanto aparecían aquellos odiosos (y morbosos) rombos en el extremo derecho de la pantalla. ¿Por qué rombos? ¿Qué tienen esas figuras para asociarlas a la mayoría de edad?

Y es que basta que no nos dejaran ver aquellas series y películas para que nos diesen muchas más ganas de hacerlo. Por ejemplo, **Pepe Carvalho**, el detective de las novelas de Manuel Vázquez Montalbán, sabíamos que era una serie que, además de violenta, tenía bastante sexo. Como mucho nos dejaban escuchar la música del principio, mientras tardábamos en ponernos el pijama. «Ya voy, ya voy...» Pero nunca conseguíamos ver nada...

Todo el mundo reconoce que **Canción triste de Hill Street** es una de las mejores series sobre el género, pero también tenía aquellos dichosos rombos, aunque es cierto que a veces se les olvidaba ponerlos, «¿Puedo verlo? Este capítulo será para menores...». Pero no colaba, ni aquello de levantarte y tratar de tapar con medio cuerpo aquellas figuras chivatas.

Lo de **Historias para no dormir** debería haber tenido rombos encima de rombos, porque muchos adultos lo pasaban mal viendo los relatos que, perversamente, había pergeñado Chicho Ibáñez Serrador.

¿SABÍAS QUE...?
Los rombos empezaron a utilizarse en televisión en 1962 y estuvieron hasta 1985. Un rombo significaba que el contenido era para mayores de catorce años y dos rombos era para mayores de dieciocho.

Aquella serie debería haber puesto otro grado dentro de la edad adulta. Claro, luego estaba la OCIC con eso de Adultos o Adultos con reservas... Dentro de este grupo también se podría meter **El quinto jinete**, una serie de mediados de los setenta, con capítulos de una hora de duración y realmente aterradora.

Estaba claro que entre los programas para adultos la mayoría eran o medio eróticos o policíacos, hasta el punto que **Corrupción en Miami** también acabaron vetándonoslo. Aquí nos daba más rabia porque era una serie muy molona, con esas palmeras, esa música, los coches...

Luego había otras series que, aunque no tenían nada en particular, no nos dejaban ver. No es que hubiese sexo, ni violencia, ni fuesen de terror, pero como las daban tarde... **Tristeza de amor**, con su melancólica canción de cabecera, fue una de esas series que no nos permitían mirar y que realmente no era para adultos, al igual que **Anillos de oro** o **Turno de oficio**. Esas series que acabas viendo con los años y te preguntas: ¿Tanto rollo para esto? ¿Por qué no podíamos verlas?

Claro que si hablamos de películas tenemos todas las de Ozores; aquella que era medio cantada de **La corte del faraón**, con Ana Belén; **Emmanuelle**, con aquella chica ligera de ropa en un sillón de mimbre; **El último tango en París**, que hizo que muchos de nuestros padres fuesen a conocer Francia; **Atracción fatal**...

No hay que decir que, ya con una edad, hemos ido viendo todas aquellas películas en vídeo o DVD, pero ya no es lo mismo. Aquellos rombos le daban otro toque...

VIDEOCLUB

Carnet de VIDEO CLUB

¡Por fin! Hemos convencido a papá para comprar un vídeo. ¡Ya era hora! Lo tiene ya medio barrio y casi toda la clase. Anda que no me daba rabia ver a Raúl, que siempre me viene contando que si una de Bruce Lee, que si una del oeste. Se va a enterar. Ahora voy a ver más pelis que él, por lo menos dos por semana, aunque una de las condiciones de papá para comprarlo ha sido alquilar solo una los sábados por la mañana. Algo habrá que hacer. Igual intercambiarlas con Alberto, el vecino de abajo, que también se ha comprado un vídeo.

Acabo de llegar del cole y ahí está papá con el libro de instrucciones. Al final ha cogido un Beta: dicen en la tienda que es mejor que el VHS y el 2000, que las cintas son más pequeñas y por eso se ven mejor. No sé, ellos sabrán. Al parecer son las que más duran y que, con el tiempo, los otros dos desaparecerán.

TDK EHG - LOS GOONIES - KARATE KID
'ESTA CASA ES UNA RUINA' (1986)
FUJI
SONY "BLANCO" "ROJO" KRYSTOF KIESLOWSKY
Terrorificamente Muertos EVIL DEAD 2
GREASE
TDK EHG - LOCA ACADEMIA DE POLICIA - ATERRIZA COMO PUEDAS - TOP SECRET
TDK EHG STAR WARS (TRILOGIA)
TDK TOP GUN
GREMLINS
COLUMBIA TRISTAR HOME VIDEO & CIA. S.R.C.
TDK EL RESPLANDOR POSESIÓN INFERNAL
SONY 'ACORRALADO' + 'RAMBO' + 'DESAPARECIDO EN COMBATE'
GLASTONBURY '95 / ESPARRAGO ROCK
PESADILLA EN ELM STREET
TDK HS
REGRESO AL FUTURO I, II, III
SONY TERMINATOR
TDK EHG - DESPEDIDA DE SOLTERO - PORKY'S
- ESPECIAL PUBLICIDAD (C+)

Por comprar el vídeo le han regalado una bolsita que le viene bien para el gimnasio, y dos películas originales, *También los ángeles comen judías*, de Bud Spencer, pero sin Terence Hill, y una de un partido de fútbol de no sé cuándo. «¡Ponla ya, ponla ya!», le decimos agitando la de Bud Spencer. «Pero solo para probarla», nos dice fingiendo ponerse serio, «que todavía es miércoles y hasta el sábado el vídeo no se pone».

«Hay que meter la cinta con cuidado para que no se enganche. Me han dicho en la tienda que hay que limpiar los cabezales y rebobinar siempre...»

Pero ya no le hacemos caso porque, nada más poner la cinta, la pantalla ha empezado a proyectar unas letras en la que te advierten que no se puede copiar y hacer negocio con el contenido, blablablá. El fondo se pone azul y en letras grandes aparece el título de la película. Autorizada para todos los públicos. Y de pronto empiezan a anunciarse otras. Esos anuncios se llaman tráilers o algo así. Y justo cuando va a empezar la película... Bueno, ya vemos que funciona. «El sábado la veis».

Pero ¿cómo quiere que esperemos al sábado? No dejamos de mirar el vídeo, como si fuese un platillo volante que hubiese bajado al salón. Tengo ganas de decirles a todos que tenemos un Beta en casa, y que el sábado voy a ver una película de Bud Spencer. Me imagino la cara que pondrá Raúl... Mañana, cuando salga de clase, en lugar de ir al parque a jugar, voy a entrar en el videoclub de abajo. Para ir mirando qué películas puedo alquilar el sábado. Igual hago una lista.

¡Qué difícil es concentrarse en clase! No dejo de pensar en el vídeo y en las películas que quiero ver. He empezado con la lista: pelis de Chuck Norris, de los Kung Fu kids, de Bruce Lee, hay uno que no me acuerdo del nombre pero que lleva bigote y se apellida Bronson o algo así, alguna de risa, de miedo, claro...

Entrar en el videoclub es como entrar en el paraíso. Varias baldas de madera repletas de fundas de películas, con cartelitos hechos a mano donde indican cuáles son Beta, VHS o 2000. La mayoría son Beta. ¡Bien! Y empiezo a mirar y es un mareo. Pelis de acción, de miedo, de risa, obras de teatro de Lina Morgan, de esas que cantan y que le gustan a mamá (no sé por qué les llama revistas, si son obras de teatro). Allí hay de todo. Miro y remiro, toqueteo las carátulas, leo los argumentos (al parecer se llaman sinopsis), repaso cuáles puedo ver y cuáles son para mayores (por lo general las más interesantes). También están las por-

SOMOS
GENTE PACÍFICA
Y NO NOS
GUSTA GRITAR
ED. DEPT.

no, en las baldas más altas, donde a veces se pierde la mirada con más vergüenza que curiosidad. El precio es un poco caro: 250 pesetas las antiguas y 300, las novedades. No sé yo si papá va a querer alquilar una todas las semanas. Menos mal que también venden cintas para grabar de la tele. Voy a grabar dibujos y las películas del sábado después de comer, que son las mejores.

El señor del videoclub me mira mal, porque llevo un rato dando vueltas cogiendo y dejando todas las fundas. «¿Vas a coger alguna?» Me pongo nervioso, pero no voy a salir corriendo porque voy a tener que venir más veces cuando nos hagamos socios. «Mis padres me han dicho que mire a ver qué películas hay, para alquilarlas.» El señor me mira serio, no me cree y empieza a rebuscar entre las fichas de los clientes. «¿Quiénes son tus padres?» Aquí sí que no puedo evitar acercarme a la puerta y salir sin despedirme.

El corazón me palpita fuerte. Vaya, no empiezo con buen pie en el videoclub de abajo.

mi
c _ s _

Bichos

Aunque no estaba en nuestra lista de predilectas (las artes marciales y los tiros iban siempre en cabeza), la primera que alquilamos fue **Critters**, y es que la portada era irresistible con aquel bicho con cara de cabrón sonriente, feo y adorable a la vez. La película (que luego tuvo varias secuelas) lo prometía todo: terror, sangre, humor... Una verdadera golosina para un chico que no llega a los diez años. La calificación ponía que era para trece años, pero es algo de lo que igual no se enteran... Primera bronca de mis padres: «Pero ¿qué película has cogido? La próxima vez no bajas solo al videoclub».

Y es que, claro, para mis padres los únicos monstruos que podía ver un niño son los que aparecían en la película de Antonio Mercero **Buenas noches, señor monstruo**, esa en la que salía Regaliz, el grupo que imitaba a Parchís. Era una película infantil en la que cantaban (nunca me gustaba cuando cantaban en las películas) y en la que tampoco era muy importante el argumento. Todo estaba hecho para que, de pronto, se pusiesen a cantar: un castillo-museo lleno de monstruos conocidos (Drácula, Frankenstein, Cuasimodo...) y cuatro niños que no acaban de estar en peligro del todo. Una película que disfrutarían los pequeños pero, yo, con nueve años, ya era mayor y me gustaban más otras películas de monstruos.

Aunque no dejaba de ser un monstruo, nunca nos referíamos a **E.T.** como tal. Él era un extraterrestre, quizá porque la palabra «monstruo» nos recuerda algo negativo, malvado, mientras que el pobre E.T nos enternecía, incluso nos daba cierta pena. El acierto del guión era que el extraterrestre no había caído en EE.UU., ni quería comerse o esclavizar a los terrestres; era como un niño abandonado en la Tierra, olvidado, una especie de Macaulay Culkin de otro planeta. ¡Con lo que empatizábamos desde el minuto cero con él! ¿Acaso no habríamos hecho lo mismo que Elliot?

Pues sí, nosotros le habríamos llevado a casa, al igual que a Mogwai que, si nos mira con esa carita de bicho que no ha roto un plato, le damos de comer a la hora que quiera. Eso sí, la liaríamos, pero claro, te regalan un bichito peludo, una especie de Fourby sonriente y tierno y es muy gracioso. Pasan los días y habrá que lavarlo, que el olor que puede dejar tiene que ser considerable.

Cuando vi por primera vez la película **Gremlins** no podía dejar de sorprenderme una cosa: ¿cómo es posible que se ponga a la venta un animalito que requiere unos cuidados tan extraños? ¿No da que pensar? ¿Y sin hacerle un test psicotécnico al que va a comprar la mascota? Vale, luego había otra historia por debajo, pero, sin duda, es una falta de responsabilidad por parte del padre que compra el regalo a su hijo. Haz caso al señor Wing: si no te lo quiere vender será por algo...

Pero si hay algo que gusta más a un niño que un monstruo es, sin duda, un fantasma, con esa capacidad de aparecer en cualquier momento, atravesar paredes y asustar al más pintado. Sí, nadie puede con ellos, porque además son inmateriales, no puedes tocarles. ¿Qué puede hacerse entonces? Pues claro, llamar a **Los Cazafantasmas**, porque si no consiguen hacerlos desaparecer, al menos te partirás de risa con ellos. La película siempre estaba alquilada...

¿Puedo dormir
con la luz
encendida?

Me pido ser...

Ver una película y ponerte a jugar a lo que acabas de ver era todo uno. ¿Veías una del oeste? Pues en cuanto acababa ya eras un vaquero; que veías una de Bruce Lee, pues dabas patadas a todo. Y siempre con esa frasecita de «me pido ser» que te aseguraba que nadie sería el héroe más que tú, el prota, el mejor. No valía con ser el secundario, o el amigo del protagonista, no, tenías que ser el que corría todas las aventuras, el que más peligros afrontaba, el que acababa con el malo. Y es que había una gran cantidad de héroes en los que fijarnos.

Si hay un héroe que nos traía a todos de cabeza era sin duda **Indiana Jones**, con esa camisa sudada, sombrero, látigo y pistola. Una persona más o menos normal que se convierte en héroe en un abrir y cerrar de compuertas. Murciélagos, ratas, culebras... ¿Quién se puede resistir? Nos encantaban las historias de este tipo y tarareábamos la musiquita cuando nos subíamos a un árbol o saltábamos de él.

Otra clase de héroe, o mejor dicho antihéroe, era *Marty McFly* de **Regreso al futuro**. En este caso, lo que nos molaba del personaje no eran sus puños, sino su Delorean que te llevaba atrás y adelante en el tiempo. Además como Michael J. Fox era el guaperas que tanto les gustaba a las chicas, pues eso, que también nos pedíamos ser él.

¿SABÍAS QUE...?

Regreso al futuro se rodó prácticamente entera con otro actor, Eric Stoltz, que finalmente fue sustituido porque, al parecer, no había química entre él y el personaje de Doc. Michael J. Fox estaba rodando por aquellos días la serie *Enredos de familia* y tuvo que rodar la película durante los descansos de la serie.

Y a falta de un Delorean para ir de un lado a otro, bueno era Fujur, esa especie de perro albino (¿alguien diría que es un dragón?) que volaba y llevaba a Atreyu, el no va más de los héroes infantiles, un chico que parecía el hermano pequeño del Vaquilla, en **La historia interminable**.

Aunque lo que de verdad soñábamos era tener una aventura como la de **Los Goonies**: encontrarnos un mapa con un tesoro y descubrir un enorme barco pirata dentro de una cueva. Incluso, por qué no, tener un amigo como Sloth, por raro que fuese. «¡Chocolateeee!»

Eso sí, nuestras favoritas eran las de peleas, tiros y explosiones. Nunca eran demasiados los golpes y tuvimos grandes referentes como Bruce Lee con sus patadas a diestro y siniestro. Y es que daba hostias como mazapanes. ¡Y cómo sonaban! ¿Quién no ha imitado su manera de pegar con gritito incluido? También tuvimos la versión light para el público juvenil con **Karate Kid**, que tampoco estaba mal.

Por otro lado estaban los ases de la destrucción, Stallone y Schwarzenegger, con sus Rockys, Rambos y Terminators, películas que echaban

¿SABÍAS QUE...?

Michael Ende, autor del libro en que se basa la película *La historia interminable*, echaba pestes de la versión cinematográfica, diciendo que se habían cargado la historia. En internet se puede ver un vídeo donde le dedica palabras muy duras.

chispas en el videoclub (no creo que descansasen mucho en las baldas ya que eran las más solicitadas). Aquellas eran directamente no autorizadas para menores de dieciocho años pero, curiosamente, nuestros padres nos dejaban verlas. Lo contrario habría sido muy cruel...

Y si las aventuras en grutas, selvas y ciudades molaban, en las galaxias ya eran el no va más, algo de lo que debió de darse cuenta George Lucas cuando se le ocurrió la trilogía de **La guerra de las galaxias** (ahora *Star Wars*, con esa manía de no traducir los títulos). Tocaba, entonces, ser Luke Skywalker y luchar con espadas láser. «Y que la fuerza nos acompañe.»

Luego teníamos a los héroes que solo hacían su trabajo, que por lo general eran policías, detectives o agentes secretos que tiraban de pistola a la primera de cambio, algo que nos encantaba. El rey del gatillo fácil era sin duda **Harry el sucio**, un tipejo con patillazas que se paseaba por San Francisco como si fuese el Lejano Oeste. Con mucho más humor apareció Eddie Murphy, convertido en un **Superdetective en Hollywood** con aquella musiquilla de sintetizador (ese sonido tan de los ochenta). Aunque si alguien nos marcó fue John McClane, el de la **Jungla de cristal**; el pobre siempre llegaba al lugar equivocado en el momento inoportuno. «Yipi ka yei...»

¿SABÍAS QUE...?

La expresión de McClane «Yipi ka yei» es uno de los enigmas del cine moderno. Está sacada de una vieja película de vaqueros, y ese era el grito de batalla de su protagonista. El actor que lo decía en aquella película era Roy Rodgers.

La
foto de
tu padre
aquí

Comedias y románticas

Pero como no todo iban a ser tiros, alquilábamos de vez en cuando alguna comedia o, como las llamábamos entonces, una peli de risa. En el videoclub había un montón y debíamos elegir bien porque no todas eran realmente graciosas. «Jo, vaya película más sosa, la próxima vez la elijo yo, anda que no hay pelis en el videoclub...»

Para elegir una buena película de risa había que fijarse en la carátula y en las fotos del dorso. Por lo general eran dibujos o caricaturas de los protagonistas en una escena graciosa. Por ejemplo, en **Esta casa es una ruina** había que poner a los protas y a la casa cayéndose a cachos. ¿Te acuerdas de cuando Tom Hanks se quedaba enganchado en un agujero del suelo? ¿Y lo de las escaleras? Eso era una peli de risa, porque te lo pasabas en grande viéndola y luego contándola.

¿SABÍAS QUE...?

Cuando se estrenó *Grease* en España se llamaba *Brillantina* y debido a la poca repercusión se decidió conservar el título original. Olivia Newton-John no quería ni oír hablar de la peli y fue el propio Travolta quien la convenció para que la hiciese.

Otras pelis muy solicitadas en el videoclub (y muy típica en las excursiones en autobús junto a las de Bud Spencer y Terence Hill) eran las de **Loca academia de policía**. Aquellas eran mundiales, con el grandote, el que hacía ruiditos, los pardillos que acababan en La Ostra Azul... Y además toda la familia las veía, a pesar de que tenían momentos un poco verdes que hacía que nos pusiéramos rojos.

Lo normal es que cuando había niños y niñas en una casa cada fin de semana eligiese uno, así que una semana había peli de tiros y otra una de risa o una de esas romanticonas de chicos guapos. Lo curioso es que todos veíamos todas. El vídeo era la gran novedad en las casas y no se nos pasaba por la cabeza no ver la peli alquilada de la semana, aunque saliese Rob Lowe o Schwarzenegger.

«La de **Dirty Dancing** estaba alquilada, así que he cogido esta...» A veces colaba, pero otras no. «¿Una de ninjas? A mamá vas.» Y es que no pocas discusiones se vivían en las casas a causa de las decisiones en el videoclub. Pero finalmente llegó el día en que hubo que alquilar la de Patrick Swayze bailando y la verdad es que no estuvo mal. «En la Discoplay de este mes viene la banda sonora, podemos comprar el disco entre los dos.» Y asunto arreglado, una discusión menos.

Pelis como esta, como **Aterriza como puedas** o **Teen Wolf** eran vistas y requetevistas una y otra vez. Nos aprendíamos los diálogos y nos mondábamos de risa cada vez que las veíamos. «Esta la guardamos, no se te ocurra borrarla. Le voy a quitar la pestaña para tenerla siempre...» Y es que además de alquilar, grabábamos como posesos de la tele.

Un clásico navideño que grabamos todos fue **Grease**, que revolucionó y creó una estética rockabilly light. Esa peli lo tenía todo; tipos duros, chicas dulces, canciones... Gustaba a toda la familia, y las niñas repetían los pasos de baile cuando venían visitas. Mientras, los chicos imitaban la pose chulesca de Travolta subiéndose el cuello de la camisa. Y seguro que has bailado *Grease lightning* con el movimiento horizontal de brazo...

«Me llamo Íñigo Montoya, tú mataste a mi padre, prepárate a morir.» Esa es sin duda una de las grandes frases del cine que jamás se hayan escrito. La repetíamos cuando jugábamos a peleas y simulábamos ser espadachines. Y es que **La princesa prometida** se convirtió en una película perfecta en cuanto la estrenaron. Desde la música, que era del tío de Dire Straits (uno de nuestros grupos de música favoritos) hasta las peleas de acción, pasando por la historia de amor, el abuelo contando la historia a su nieto... Una película que era como entrar en un parque de atracciones. «Yo también quiero...» También hubo una con un Tom Cruise jovencito, una princesa y un unicornio, **Legend**, pero esa era un poco más chapa...

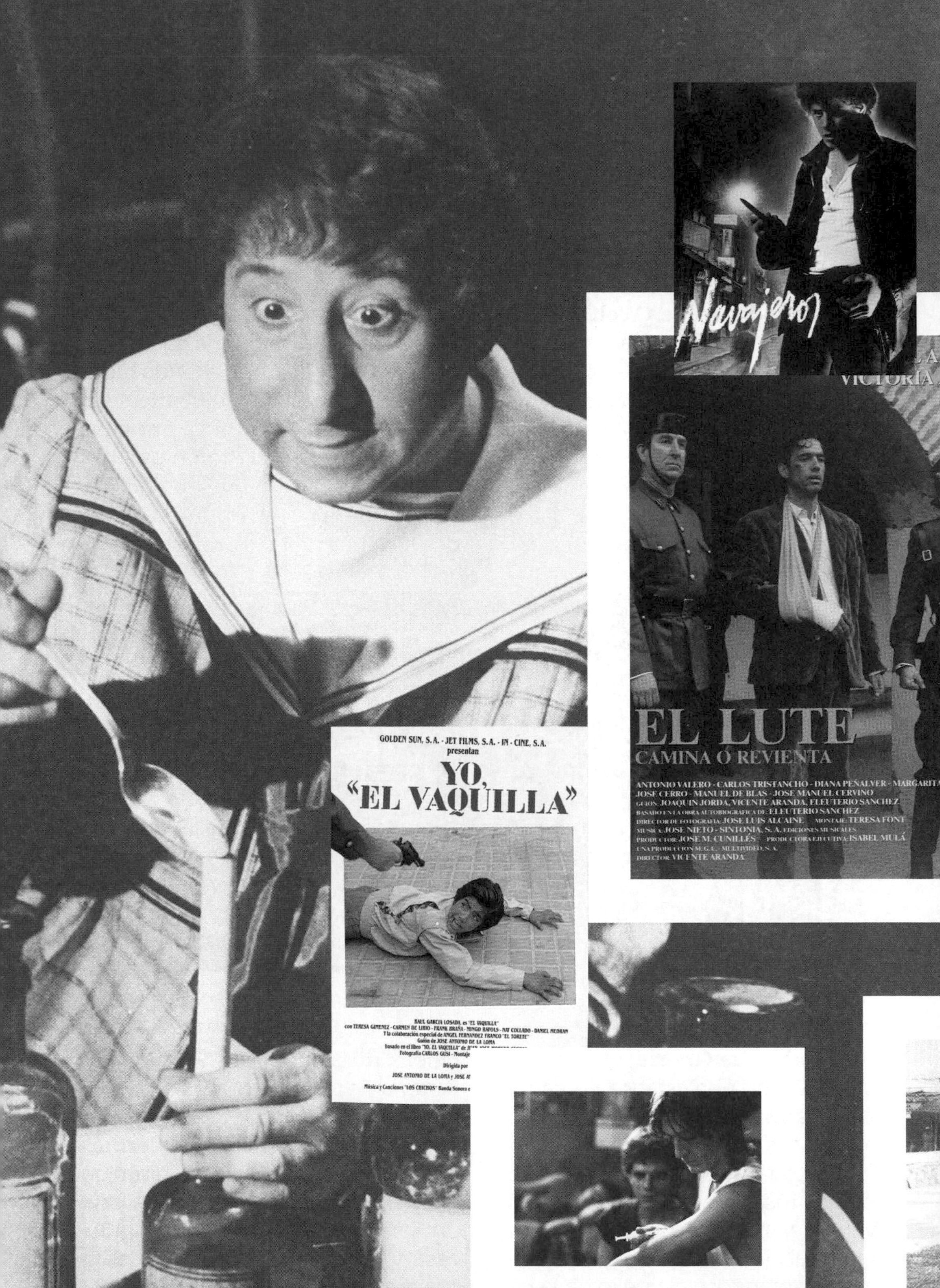
Navajeros
EL LUTE
CAMINA O REVIENTA
ANTONIO VALERO - CARLOS TRISTANCHO - DIANA PEÑALVER - MARGARITA
JOSE CERRO - MANUEL DE BLAS - JOSE MANUEL CERVINO
GUION: JOAQUIN JORDA, VICENTE ARANDA, ELEUTERIO SANCHEZ
BASADO EN LA OBRA AUTOBIOGRAFICA DE: ELEUTERIO SANCHEZ
DIRECTOR DE FOTOGRAFIA: JOSE LUIS ALCAINE MONTAJE: TERESA FONT
MUSICA: JOSE NIETO - SINTONIA, S. A. EDICIONES MUSICALES
PRODUCTOR: JOSE M. CUNILLÉS PRODUCTORA EJECUTIVA: ISABEL MULÁ
UNA PRODUCCION M. G. C. - MULTIVIDEO, S. A.
DIRECTOR: VICENTE ARANDA
GOLDEN SUN, S.A. - JET FILMS, S.A. - IN - CINE, S.A.
presentan
YO, "EL VAQUILLA"
RAUL GARCIA LOSADA, es "EL VAQUILLA"
con TERESA GIMENEZ - CARMEN DE LIRIO - FRANK BRAÑA - MINGO RAFOLS - NAT COLLADO - DANIEL MEDRAN
Y la colaboración especial de ANGEL FERNANDEZ FRANCO "EL TORETE"
Guión de JOSE ANTONIO DE LA LOMA
Fotografía CARLOS GUSI - Montaje
Dirigida por
Música y Canciones "LOS CHICHOS" Banda Sonora

+18

Sin que se enteren los padres

Sin duda, el momento estelar era cuando nuestros padres no estaban en casa y, a escondidas, poníamos todas esas películas que no nos dejaban ver. No podíamos alquilarlas porque el del videoclub era bastante rancio y se podía chivar, pero siempre venía alguien de clase con una cinta grabada de un hermano mayor. «Anda, déjamela... te la traigo mañana.» A veces con un Phoskitos bastaba para que se enrollase.

Todos hemos visto alguna vez una película de **Jaimito**, nos hemos reído con sus tonterías y hemos esperado a ver algo de chicha, porque esas pelis eran para eso. Con unos argumentos de vergüenza ajena, unas actuaciones exageradas y una música hortera, fueron películas solicitadísimas en los videoclubs de barrio cuando empezó a llegar de Italia todo el catálogo. Ya con las televisiones privadas, Telecinco nos las fue poniendo todas en bandeja.

Nosotros teníamos nuestra versión nacional con las películas de **Pajares** y **Esteso**. Eran la continuación del landismo más light de los sesenta. No veíamos en esas películas la actualización de la picaresca española, ni la crítica social y política (que las había); nosotros queríamos culos y tetas. Y vaya si los había... La crítica fue mortal con estas pelis, pero en mi barrio a todo el mundo le gustaban.

Sin embargo no todo en estas películas populares eran culos y tetas, y el compañero de clase trajo un día unas pelis de su hermano mayor que partieron en dos aquella ingenuidad infantil. El denominado **cine quinqui** era difícil de ver. «Joé, qué mal cuerpo me ha dejado, qué mal rollo...» Delincuencia, droga, disparos... pero ya no era divertido. Aquello no era *La jungla de cristal*. «Menos mal que mis padres no saben que he visto *El pico*, me hubiesen echado una bronca...» Esas películas producían pesadillas en los niños porque todo era muy real. El Vaquilla, el Torete, el Jaro... El caso es que en el barrio había gente parecida. Nunca más le pedí películas al compañero de clase. Prefería seguir con Pajares, Esteso y las de **Porky's**...

A mí no me da miedo

Esa frase la decías cuando estabas cagadito perdido y no querías hacer el ridículo. Nos pasaba cuando teníamos que ir a la habitación de arriba en la enorme (y oscura) casa del pueblo, cuando se hacía de noche y no estabas cerca de casa y cuando veías una peli de miedo.

Jack Nicholson siempre ha tenido cara de loco, eso es así, y películas como **Alguien voló sobre el nido**

del cuco o **El resplandor** no ayudan a que pensemos otra cosa. La versión que Kubrick hizo de la novela de Stephen King contiene escenas de esas que se te graban para toda la vida. Una película que hay que ver de niño, y sentir el miedo como algo vivo dentro de ti. Olvídate del doblaje, atento a las gemelas, al hacha, al laberinto... Bufff, es que solo recordarla...

Otra de esas para ver después de comer fue **El exorcista** con vomitonas verdes, cabezas que giraban y frases de guión que hacían que tus padres te mandasen a tu habitación del tirón. Fue una película muy famosa, musiquita de Mike Oldfield incluida y todo eso, pero la que nos dio miedo de verdad fue aquella peli italiana, mucho más cutrilla llamada **Aquella casa al lado del cementerio**. Un montón de niños viéndola en silencio y sin atreverse a ir solos al cuarto de baño...

Y luego llegó nuestra favorita; **Posesión infernal** que junto a **Terroríficamente muertos** y **El ejército de las tinieblas** componían una extraña trilogía de terror, gore y muchas risas. Era más fácil verla, porque aunque daba miedo te reías y eso te relajaba. Y ver sangre y tripas siempre nos ha divertido mucho. Aunque, eso sí, tampoco nos atrevíamos a ir solos a mear...

Lo bueno de las pelis de terror es que nos han dado asesinos míticos, como el Jason de **Viernes 13** o el Freddy Krueger de **Pesadilla en Elm Street**. Esos malos que nos encantaban y hasta nos caían bien. Nunca empatizábamos con las pobres víctimas, es más, esperábamos que apareciese el de la máscara o el de las cuchillas a poner orden.

«Mira, han traído al videoclub otra de John Carpenter.» «¿John qué?» Siempre venía el típico listillo que se sabía todos los títulos y los nombres de directores, actores y demás. El caso es que cuando nos dijo que la misma persona había hecho **Halloween**, **La niebla** y **La cosa** empezamos a hacer caso a ese tal John Carpenter. Aquellas pelis nos gustaban mucho, como *Posesión infernal*, eran terroríficas y divertidas. Eso fue mucho antes de que adoptásemos la fiesta de Halloween e hiciésemos del noble arte del terror un carnaval. Atrás quedaban las pelis de tiros y las comedias. Donde esté una de miedo...

EJER-CI-CIOS:

UNE A CADA MOCHUELO DE *GREASE* CON SU PAREJA

1. DANNY
2. KENICKIE
3. DOODY
4. SONNY
5. PUTZIE

A. MARTY
B. FRENCHY
C. RIZZO
D. JAN
E. SANDY

Adivina el apellido de estos 10 actores y encuéntralos en la SOPA DE LETRAS (Pueden aparecer de derecha a izquierda, de arriba abajo, en diagonal...)

1. Michael J.
2. Chuck
3. Arnold
4. Eddie
5. Silvestre
6. Bruce
7. Tom
8. Andrés
9. Bruce
10. John

C	S	J	L	O	A	N	L	I	B	X	W	S	E	I
M	E	L	S	T	A	T	E	J	S	Q	O	E	M	O
J	R	E	G	G	E	N	E	Z	R	A	W	H	C	S
N	A	O	M	L	O	I	S	T	R	A	I	W	I	L
F	J	E	O	L	M	U	R	P	H	Y	L	I	S	E
O	A	D	L	N	U	E	M	J	A	S	L	F	D	I
X	P	A	L	E	N	V	E	U	N	L	I	S	T	F
E	T	R	A	V	O	L	T	A	K	N	S	I	S	J
S	I	R	R	O	N	F	U	E	S	I	L	E	N	O

TEST FACILITO:

¿De qué película es la frase...?

«Yipi ka yei», hijo de puta

- ☐ *Robocop*
- ☐ *Los bingueros*
- ☐ *La princesa prometida*
- ☐ *La jungla de cristal*

«No dejaré que nadie te arrincone»

- ☐ *El resplandor*
- ☐ *Dirty dancing*
- ☐ *Rocky*
- ☐ *Yo, el Vaquilla*

«Sayonara, baby»

- ☐ *Operación Dragón*
- ☐ *La muerte tenía un precio*
- ☐ *Rambo*
- ☐ *Terminator 2*

«Tanto gilipollas y tan pocas balas»

- ☐ *Las aventuras de Ford Farlaine*
- ☐ *Harry el sucio*
- ☐ *Perros de paja*
- ☐ *Superdetective en Hollywood*

«Ha comido cosas que harían vomitar a una cabra»

- ☐ *Rocky*
- ☐ *Esta casa es una ruina*
- ☐ *Acorralado*
- ☐ *En busca del arca perdida*

Yo me los hago volando

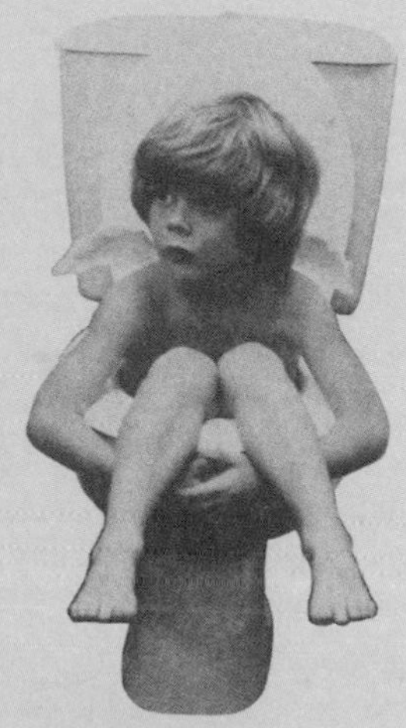

6
MINI-PRINT
ABCDEFGHIJKLMNÑOPQRSTUVWXYZ23456789
A CLASE
Para consegui
escribir siem
in apretaría, y
Con la práctica diaria de es
que la
escritura corriente, se alcanzará la
os resul-
tados serán extraordinarios. Dada su
ramente
de tales ejercicios y se recomiend
dernos,
repitiéndolo varias veces durante el

Lo mejor de volver al cole era cuando, unos días antes de empezar el curso en septiembre, nos daban los libros. Llegábamos a casa y no podíamos evitar repasarlos uno a uno para descubrir todas sus fotos y dibujos, con ese olor que todavía desprendían a imprenta. Más tarde, cuando nos tocara estudiarlos ya no nos haría tanta gracia, pero había pasado demasiado tiempo desde que habíamos completado el *Vacaciones Santillana* y, en el fondo, teníamos mono de volver a encontrarnos con nuestros compañeros de clase y, sobre todo, de estrenar todo el material escolar.

Viendo aquellos libros tan nuevecitos que nos daba hasta miedo de abrir completamente por si se quedaban las marcas, que forrábamos con tanta delicadeza y les poníamos el nombre con esas letritas adhesivas que regalaban con el forro o con el Dymo, resultaba imposible imaginar cómo iban a acabar de pintarrajeados al terminar el curso, por más que nos dijeran nuestras madres que teníamos que cuidarlos para que les sirvieran a nuestros hermanos menores.

Para nosotros el mayor sueño era tener unas taquillas en el cole en las que poder poner todos nuestros pósters, como veíamos en *Colegio Degrassi* y otras series norteamericanas, pero lo cierto es que nos tocaba cargar cada día con todos aquellos libros a la espalda. Eso sí, si tenías la suerte de tener una Perona parecía que pesaba bastante menos, porque todos sabíamos lo de «qué carteras tan molonas» y porque por fin habías conseguido abandonar aquella horrible maleta marrón.

EN LA CARTERA DEL COLE

ALPINO: Si Marco nos hizo viajar de los Apeninos a los Andes, estos lápices de colores de madera nos trasladaban hasta Los Alpes solo para indicarnos que eran los más largos. Inconfundible esa pintura atravesada por una señal indicativa de 10 km que aparecía representada en la caja. ¿Para llegar adónde?

BOLI BIC: «Bic naranja escribe fino, Bic cristal escribe normal», y creo que la gran mayoría nos decantamos por este último como nuestro boli oficial de EGB. De él se aprovechaba todo: el pequeño tapón superior para morderlo, el capuchón para caparlo y el tubo del boli lo mismo se convertía en una cerbatana que en la superficie perfecta para copiar las chuletas con la punta del compás. Se decía que hasta podías pagarte el viaje de estudios si eras capaz de montar un millón de bolis en un tiempo récord, pero jamás conocimos a nadie que lo intentase.

BOLI DE CUATRO COLORES:
El rojo, el negro y el azul vale, pero ¿el verde?, ¿para qué podíamos necesitar un boli verde? Ah, vale, para intentar bajar las cuatro minas a la vez apretando sus cuatro botones; esa era la gracia.

RUBIO
Escritura vertical
PERTENECE A
Elena
RUB
Pelikan ESCOLAR CEDRO

CERAS MANLEY:
Molaban porque con ellas éramos capaces de pintar toda una página en menos de un minuto y porque terminábamos con las manos totalmente manchadas como un artista. ¿A que recordamos con facilidad su olor?

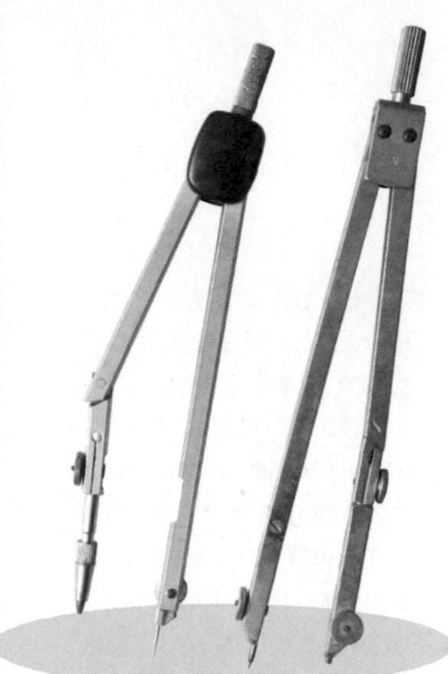

COMPÁS: Nuestra primera caja de herramientas fue la del compás con todas aquellas piezas que todavía nos preguntamos para qué servían, pero que ya nos encargábamos nosotros de darles mil y una utilidad. ¿Y el compás con tiza para la pizarra?, ¿alguno de nosotros llegó a conocer a algún profesor que consiguiera hacer un círculo perfecto con él?

CALCULADORA CIENTÍFICA: Lo de menos era la cantidad de fórmulas matemáticas, senos, cosenos y tangentes que fuera capaz de calcular, lo importante era esa pantalla luminosa digital en la que haciendo las combinaciones oportunas y girándola conseguimos que apareciera escrito nuestro nombre. Si buscamos bien en el bolsillo de su funda seguro que encontraremos alguna chuleta.

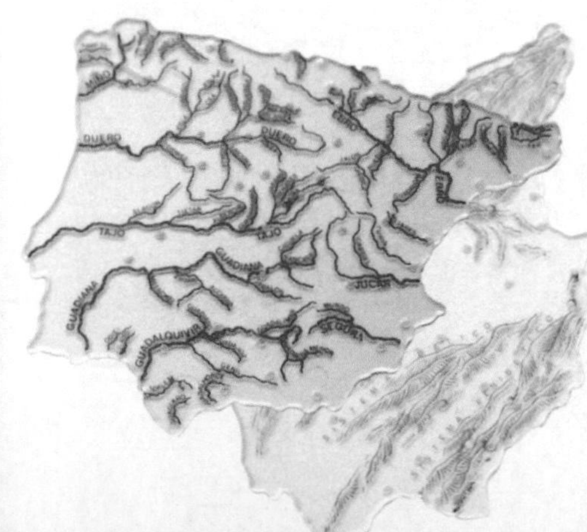

PLANTILLAS DE MAPAS: ¿Que el profe mandaba dibujar un mapa de España? Ningún problema, sacábamos nuestra plantilla y listo, solo nos faltaba restarle a mano Portugal y añadir unas líneas de prolongación de Francia. Había tres modelos: de montañas, ríos y el de provincias que hasta tenía puntitos para meter el boli y marcar las capitales.

ROTULADORES CARIOCA DE 36 COLORES: Se acabó lo de pintar a las personas de rosa o naranja, esta caja de «rotus» incorporaba el color carne que siempre era el primero que se nos gastaba antes de echarle alcohol. Cuando ordenábamos la caja de rotuladores del más claro al más oscuro éramos la envidia de toda la clase, pero al menor despiste volaba uno y la caja, con ese hueco vacío, ya no servía para fardar.

GOMA MILÁN: Que aquella goma oliera tan bien y encima pusiera «nata» era una clara invitación a comértela, pero enseguida descubrías que su sabor no cumplía las expectativas creadas. Con el uso, primero la transformabas en un círculo perfecto para que rodara, después en un tampón de clonar y finalmente terminaba agujereada con el boli en el centro o cortada a cachitos con la regla. Lo que han tenido que sufrir las pobres Milán...

GOMA DE BOLI: Poder borrar todos los errores que cometías con el boli y olvidarte de los tachones para siempre podría haber sido el mayor invento de la humanidad. Todos corrimos a probarlo, pero aquello más que borrar lo que hacía era destrozar el papel. Cierto, ni rastro.

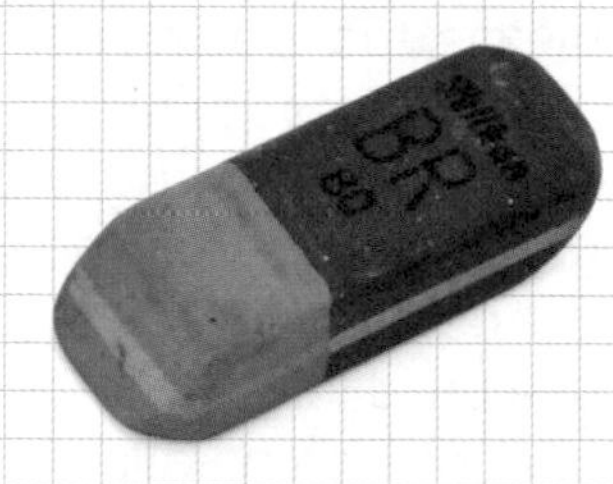

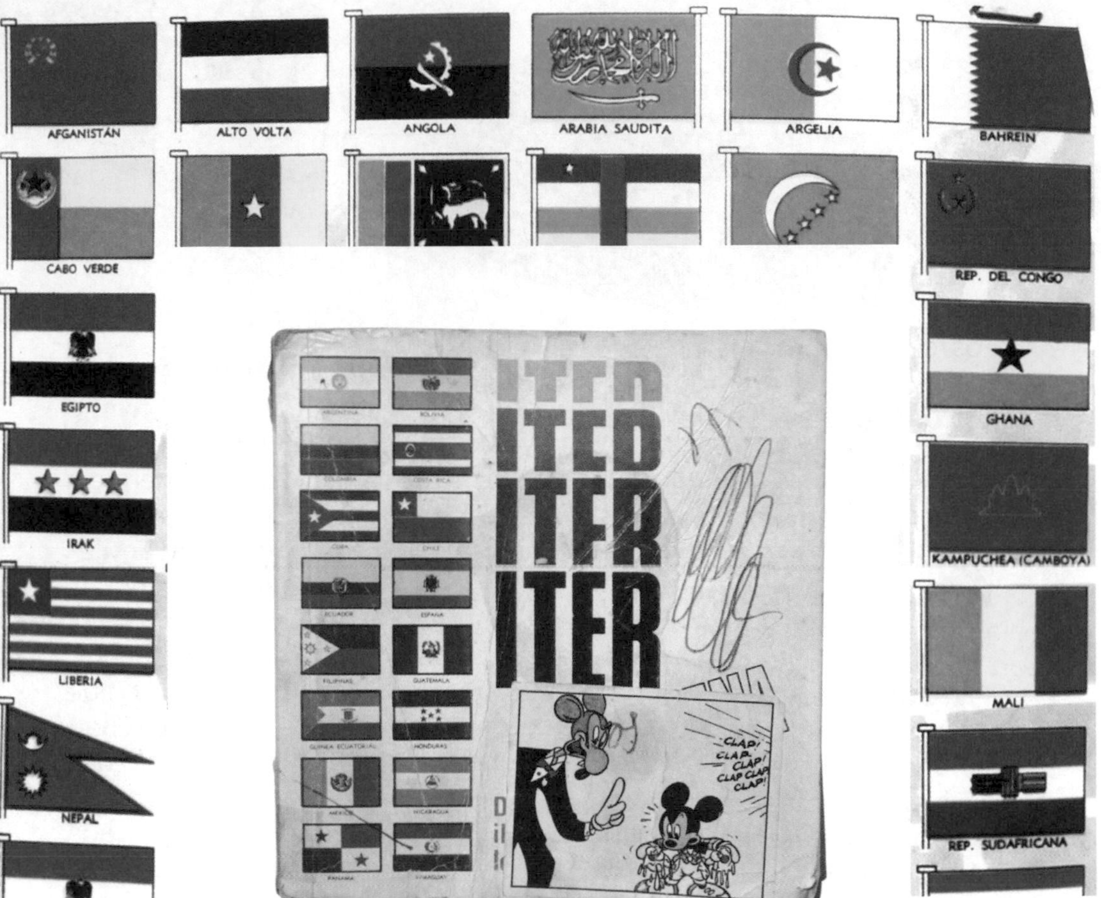

DICCIONARIO ITER SOPENA: Aunque con otra definición, aparecían «chocho» y «polla», pero no venía ni «puta» ni «cabrón». Lo de buscar tacos en este diccionario de bolsillo muy pronto se convirtió en nuestra mayor afición. Pero en lo que realmente nos podíamos detener horas y horas era en sus láminas centrales, en color, con ilustraciones como las partes de un avión, los huesos del esqueleto y las banderas, que nos sabíamos de memoria y que nunca nos llegaron a preguntar en ningún examen.

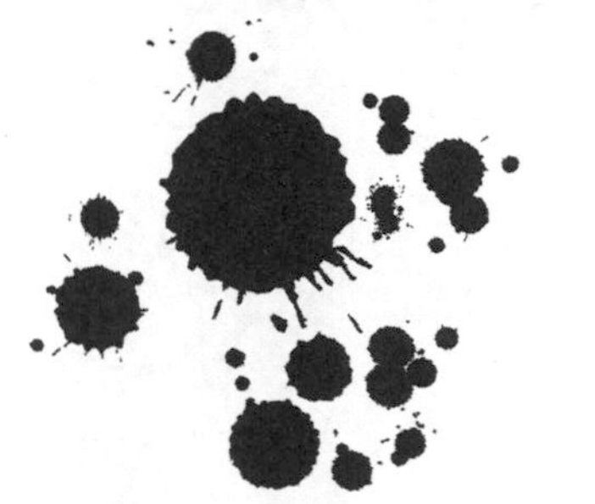

PLASTIDECOR: Por fin unas ceras que no manchaban pero que tenías que apretar tanto para que pintaran que acababas con los dedos doloridos. Lo de que no se rompían no era cierto; la única que sobrevivía era la blanca, a la que no le encontrábamos demasiada utilidad. Al sacar punta las virutas de colores eran tan chulas que daban ganas de comérselas, echarlas en agua para hacer colonia o guardarlas sin más.

ROTRING: Pasar del tiralíneas al Rotring era todo un lujo y guardábamos aquella caja como oro en paño ya que, sin duda, era el artículo más caro de todo nuestro material escolar. La punta del 0,2 era tan fina que parecía que a la mínima iba a romperse, pero el más temido era el 0,8: un manchón de tinta y a volver a empezar la lámina. «¡Jope!, si ya la tenía.»

TRANSPORTADOR DE ÁNGULOS: Se convirtió en nuestra regla favorita ya que era perfecta para introducir nuestra mano en su agujero sujetándola por la base y hacer de ella una especie de cuchilla circular con la que trocear la goma o cualquier otra cosa no demasiado dura. Con un transportador en cada mano nos convertíamos automáticamente en superegbhéroes.

LECCIONES DE DIBUJO ARTISTICO
LAMINAS por
EMILIO FREIXAS
ALADINO O LA LAMPARA MARAVILLOSA
cuadricula
anaya
3
cuadricula
anaya
2
nnnnnnnnn
na ne ni no nu
enano tu nata
ppppppppp
pa pe pi po pu
pipa pato
MIS
TRABAJOS
MIS
TRABAJOS
5 E.G.B

MI ESTUCHE

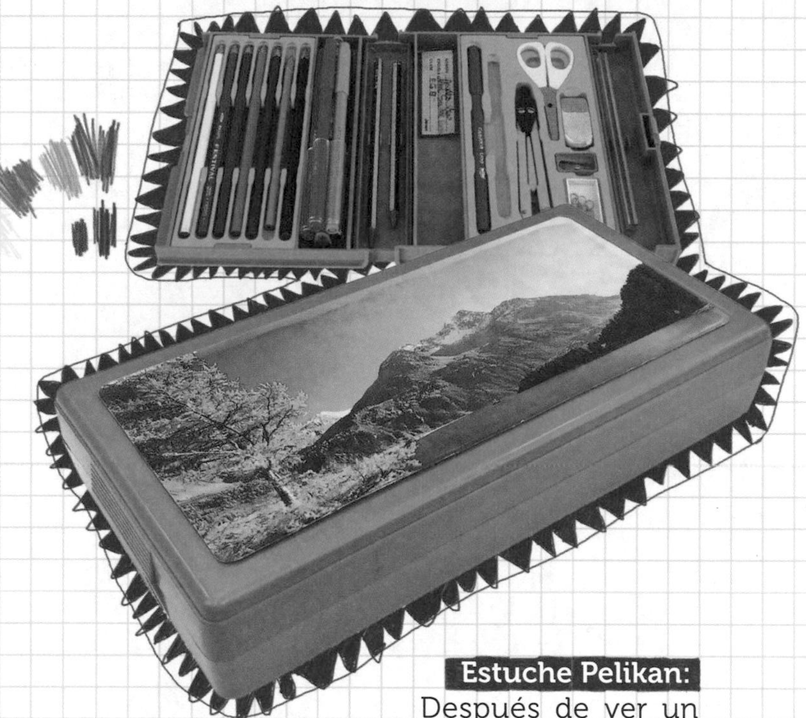

Estuche Pelikan: Después de ver un estuche Pelikan, ¿quién iba a querer ir al cole con aquella bolsa con cremallera y manchada de tinta por todos lados? La revolución en el mundo de los estuches se presentaba en modelos de hasta dos y tres pisos e incluso mecanizados de forma que, al pulsar un botón, salía un compartimento con depósito para sacar punta ahí mismo, sin necesidad de ir a la papelera. Tenían tal cantidad de compartimentos para rellenar que algunas de las cosas que traían jamás las usamos ni llegamos a saber su utilidad. Todo un misterio.

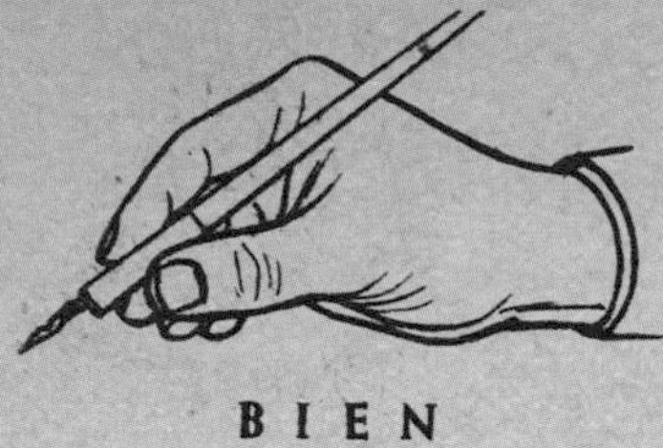

BIEN

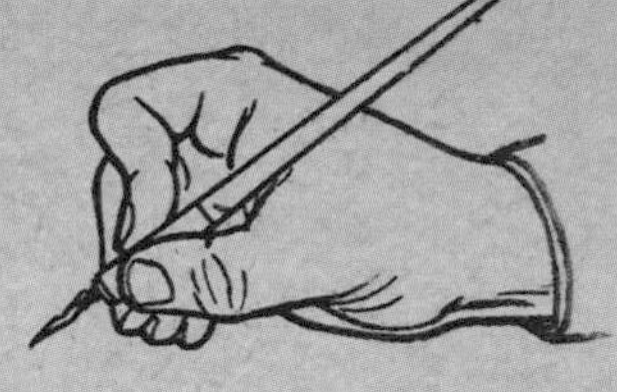

MAL

Para conseguir buen carácter de letra es preciso coger bien la pluma, sin apretarla, y escribir siempre despacio.

CUADRICULADO, MILIMETRADO Y DOS RAYAS: Cada profe tenía sus manías y nos mandaba comprar un cuaderno en uno de estos tres formatos, por lo que era imposible acostumbrarse a un tamaño fijo de letra. Nuestra pesadilla eran aquellos cuadernos sujetados con grapa en los que te pillaban todos los fallos porque sus hojas no se podían arrancar.

RATÓN ROTULADOR: Estos «marditos roedores» escondían tras su cara en forma de tapón la punta de un rotulador, pero eran tan gordos que resultaba un poco difícil escribir con ellos. Existía también el ratón boli, cuya punta aparecía directamente en la nariz, y el gato blanco que hacía de borrador.

CUADERNOS RUBIO: Lo de la letra con sangre entra era falso. A nosotros nos entró a base de cuadernos y cuadernos Rubio que consiguieron que todos acabáramos escribiendo igual. La caligrafía era sagrada y lo de copiar quinientas veces una frase a modo de castigo fue vital para pillar agilidad.

Los personajes de nuestras primeras lecturas

De toda la cantidad de libros que pasaron por nuestras manos durante los ocho años de EGB hay unos pocos que nos marcaron para siempre, por ser nuestras primeras lecturas, con las que aprendimos a leer. Por muchos años que hayan pasado nos seguimos acordando perfectamente de sus personajes.

isa

Jesusín

Millán

La familia Micho: Papá Micho, Mamá Gata y sus tres hijos: Morito, Canelo y Michín. Con esta familia de gatos muchos aprendimos a leer y recordaremos para siempre que con la «o o o» podemos asustar a un abejorro, podemos reírnos de alguien diciendo «i i i» y que la «j» es el sonido que hace alguien cuando se atraganta con una raspa de pescado.

Toni, Moncho y Mina: Desde aquel pedazo de cartón que quería ser cometa, en la primera página del libro de Senda de 1.º de EGB con las tapas marrones, las aventuras de estos tres niños, el gato Darío y el perro Pecas y su encuentro con la niña marciana nos hicieron mirar al cielo de otra manera, con la esperanza de que también apareciera un platillo volante en nuestras vidas.

Totó, María, Panocha y Puffy la cebra: Al año siguiente, en 2.º de EGB, el libro de Senda consiguió que formáramos parte del Gran Circo Sansón y viajáramos en un carromato, de ciudad en ciudad, con un payaso y una cebra. Aprendimos un montón de canciones populares como *A mi burro* y *Que llueva, que llueva* y conocimos algunos personajes de Gloria Fuertes como la gallina Pito Piturra.

Pandora: Para familia numerosa la de los siete hermanos del libro de Senda de 3.º de EGB: Isa, Millán, África, Jesusín, Maite, Pepe y el pequeño Chiquituso. Aunque los auténticos protagonistas eran Pandora y su caja de los vientos y sobre todo las increíbles ilustraciones de José Ramón Sánchez, al que años más tar-

Uno larguito,
dos más bajitos;
otro chico y flaco
y otro gordazo.

de vimos con sus rotuladores en los programas *Sabadabadá* y *El Kiosko*, y desde entonces todos los niños queríamos dibujar como él.

Borja y Pancete: Borja estaba a punto de cumplir siete años, más o menos los mismos que nosotros cuando estábamos en 1.º de EGB, por lo que no es de extrañar que automáticamente nos identificáramos con el protagonista de este libro de lecturas de Anaya y que termináramos bautizando a nuestro osito de peluche con el nombre de Pancete. Seguro que en alguna ocasión llegamos a llamar al señor del quiosco de chuches de nuestro barrio «el pipero Baldomero» y este nos miró con cara muy rara.

Charolín y Mediasuela: Las dos botitas gemelas de Tomín, protagonistas del libro *Mundo Nuevo* de 1.º de EGB, decidieron una noche abandonar la habitación, esquivando al gato Cifú, y se lanzaron a la aventura como Thelma y Louise. En su camino les pasó de todo: tropezaron con un montón de amigos, como Pipo el gitanillo y su caballo Perlero, pero también se dieron cuenta de que no todo el mundo era tan bueno ahí fuera, por lo que decidieron volver corriendo a los pies de su dueño. Todos nos aplicamos el cuento y nos quedamos en casa de nuestros padres hasta cerca de los cuarenta...

Clase de Gimnasia

No había punto intermedio. O la clase de gimnasia era nuestra favorita, porque era la asignatura con la que disfrutábamos y en la que siempre sacábamos sobresaliente, o era nuestra mayor tortura y nos pasábamos toda la semana trazando un plan para que nuestra madre nos hiciera un justificante y ese día nos pudiéramos quedar en casa.

Miedo lo que se dice miedo era comprobar que esa fila iba avanzando hasta que llegaba nuestro turno y estábamos solos frente a ese enorme aparato sobre el que pretendían que diéramos una voltereta, cuando no éramos capaces de hacerla ni en el suelo de casa. Empezaba a temblarnos todo y apenas conseguíamos sacar fuerzas para correr de nuevo hasta el final de la fila, sin que el profe se diera cuenta, aprovechando que estaba encendiendo un cigarro. ¿Acaso él era capaz de hacerlo? Nunca nos lo demostró.

Si con suerte tocaba correr o lanzar ese balón medicinal que pesaba un montón, con no esforzarnos demasiado superábamos los momentos más traumáticos. Pero, por mucho que intentáramos escaquearnos, alguna vez, al menos el día del examen, tocaba saltar y hacer el mayor de los ridículos acabando sentados con las piernas abiertas encima del caballo, tirando el potro o empotrados contra el plinto.

Qué manía con hacerlo todo a pulso, desde escalar por una cuerda lisa o con nudos colgada del techo como si fuéramos Tarzán, hasta cruzar los peldaños de la escalera horizontal a lo Chita, enredarnos como una serpiente en el cuadro sueco o ponernos boca abajo haciendo el pino sobre las espalderas. ¿Para qué queríamos entonces los pies?

Creo que algunos nos pasábamos la clase preguntándonos por qué aquello se llamaba Educación Física si parecía un entrenamiento para las Olimpiadas y que de ser capaces de hacer todo eso y de dar volteretas en el aire, en vez de en el gimnasio del cole estaríamos triunfando en el Circo de los Hermanos Tonetti.

Que el profe sacara el balón y dijera que ese día podíamos jugar un balón prisionero o campo quemado era suficiente motivo para alegrarnos toda la semana. «¡Ufff, salvados!»

¡¡Control

«Guardad todo en el pupitre, sobre la mesa solo quiero ver este libro y un boli para apuntar las respuestas. Y no quiero lloros. Ahora os toca a vosotros demostrar que efectivamente fuisteis a EGB y que aprendisteis algo.»

1. Las preposiciones

2. Los cuatro tipos de nubes

3. El teorema de Pitágoras

4. Las cuatro partes del estómago de los rumiantes

5. Los diez mandamientos

sorpresa!!

6. La propiedad conmutativa

7. Los afluentes del Guadiana

8. Los huesecillos del oído medio

9. Los tres órdenes arquitectónicos griegos

10. Los ocho primeros versos de la «Canción del Pirata» de Espronceda

1: a, ante, bajo, cabe, con, contra, de, desde, en, entre, hacia, hasta, para, por, según, sin, so, sobre, tras; **2:** Cúmulos, estratos, nimbos y cirros; **3:** El cuadrado de la hipotenusa es igual a la suma de los cuadrados de los catetos; **4:** Panza, redecilla, libro y cuajar; **5.** Amarás a Dios sobre todas las cosas, No pronunciarás el nombre de Dios en vano, Santificarás las fiestas, Honrarás a tu padre y a tu madre, No matarás, No cometerás actos impuros, No robarás, No dirás falsos testimonios ni mentirás, No consentirás pensamientos o deseos impuros, No codiciarás los bienes ajenos; **6:** El orden de los factores no altera el producto; **7:** El Cigüela, el Záncara, el Jabalón y el Zújar; **8:** Martillo, yunque, estribo y lenticular; **9:** Dórico, jónico y corintio; **10:** Con diez cañones por banda/viento en popa, a toda vela/no corta el mar, sino vuela/un velero bergantín./Bajel pirata que llaman,/por su bravura, El Temido/en todo mar conocido/del uno al otro confín.

Los trabajos que hacíamos en clase de manualidades

Aquí sí que había unanimidad. La clase de plástica, manualidades, pretecnología o dibujo, se llamara como se llamase, era nuestra favorita porque en ella nos podíamos levantar, se permitía hablar y aquello se convertía en una especie de recreo en el que el profe no nos controlaba demasiado. Además hacíamos auténticas obras de arte con las que nuestros padres decorarían la casa y que han permanecido allí tantos años que hoy no saben muy bien qué hacer con ellas.

MARQUETERÍA: ¿Cómo podía estar tan tranquilo el profe ante cuarenta niños con una segueta en la mano? De peli de terror. La clase se convertía en una carpintería llena de aspirantes a construir una réplica exacta de la Torre Eiffel en madera, pero el resultado acababa pareciéndose más a la de Pisa. «Vaya, se me ha vuelto a romper, ¿alguien me deja un pelo del 2?»

CUADROS CON LEGUMBRES Y MACARRONES: Alubias, lentejas, garbanzos, arroz, macarrones... No, no es que tuviéramos clase de cocina en el cole, pero si había que hacer un regalo para el día del padre o de la madre, lo de pegar estos ingredientes en un papel y tratar de hacer con ellos un dibujo era lo más socorrido. Pobre señora de la limpieza...

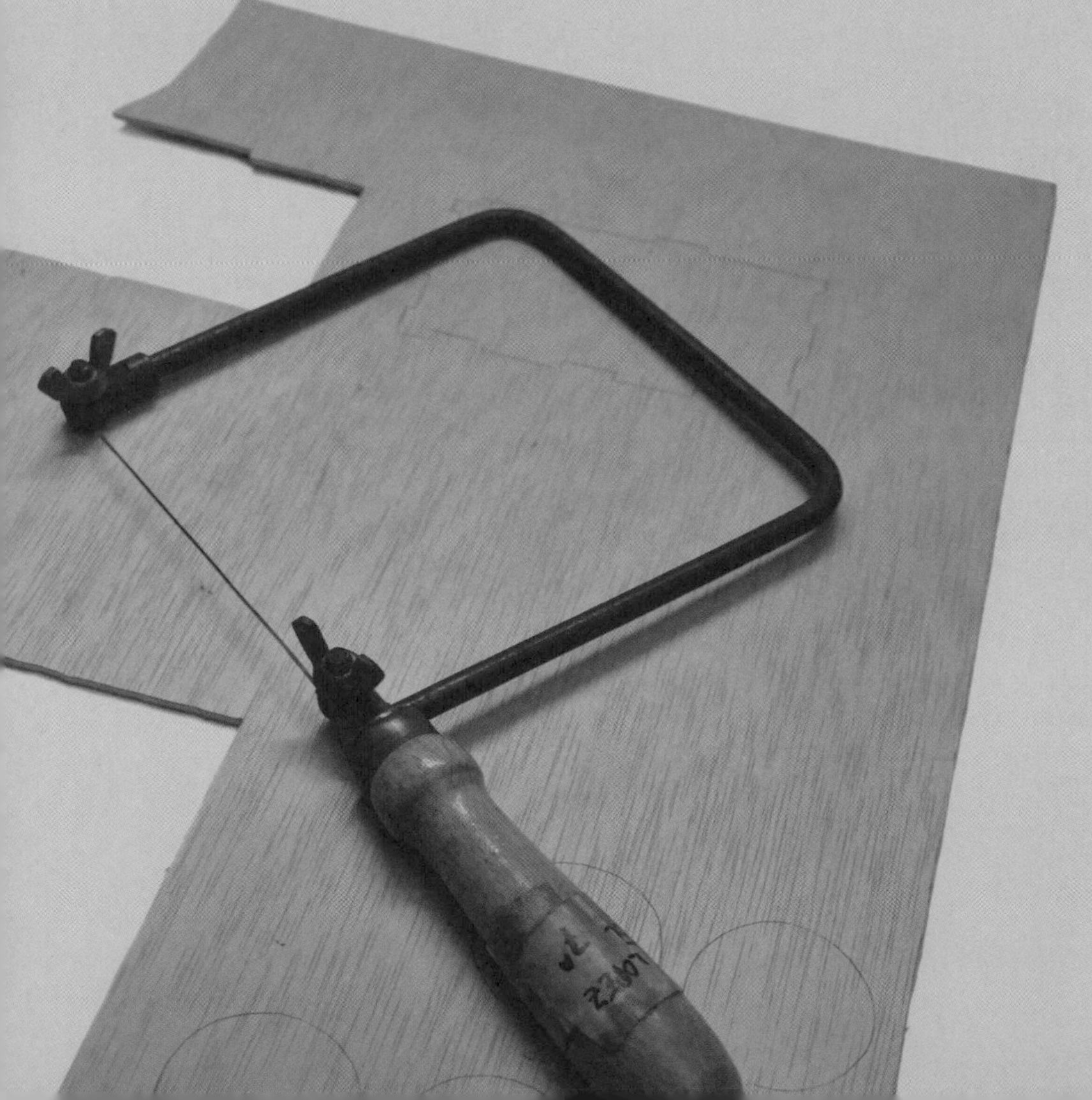

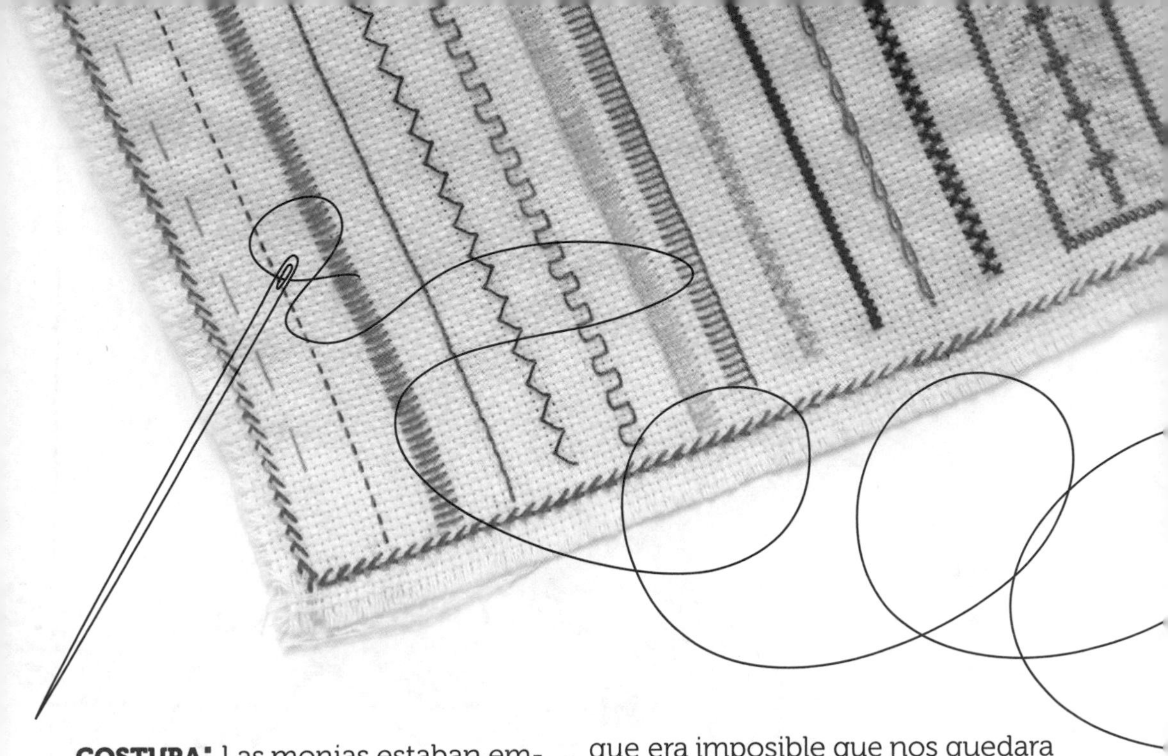

COSTURA: Las monjas estaban empeñadas en que las niñas aprendieran a coser para que fueran unas mujeres hechas y derechas el día de mañana, así que las tardes de Labores tocaba llevar el costurero y pasarse horas y horas con la aguja hasta conseguir plasmar todos los tipos de bordado en un tapete. Que si punto de cruz, que si vainica doble... «Más recto, te estás torciendo.» Con lo que les costó a algunas, no me extraña que aún lo conserven. Que nadie pueda decir que no saben coser ni un botón.

LÁMINAS DE DIBUJO FREIXAS: Da igual lo que quisiéramos dibujar: animales, plantas, automóviles, edificaciones, paisajes... Emilio Freixas lo dibujó absolutamente todo por nosotros, y lo único que teníamos que hacer era copiar sus láminas. Tampoco habría sido necesario que se pusiese tan hiperrealista, porque era imposible que nos quedara algo parecido sin recurrir a copiarlo en la ventana o con el papel de calco. La de niños que habremos dibujado esos mismos jugadores de fútbol asignándoles los colores de nuestro equipo...

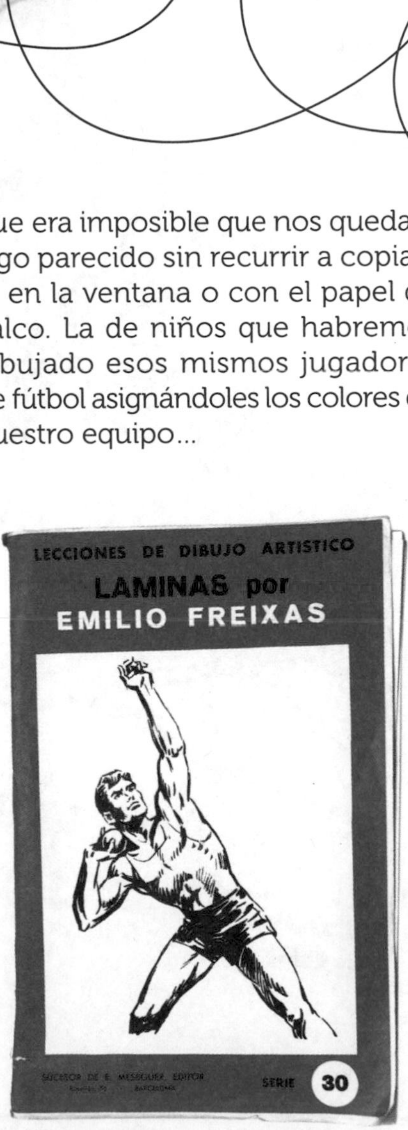

SERIE XIII/4

CUADROS DE HILOS: Psicodelia pura la de aquellos cuadros de hilos. Lo normal era que se nos fuera la mano con los clavos y el martillo, y a la hora de unirlos con hilos de colores entrábamos en un bucle que no sabíamos muy bien dónde empezar y dónde terminar. «Claro que es un barco, ¿o no lo ves?»

MÁQUINA DE PETACOS casera: Seguramente fue el trabajo de clase que más disfrutamos; por fin teníamos nuestra propia *pinball*. Sí, hecha con un montón de chinchetas, gomas elásticas y un par de pinzas de madera como petacos, pero funcionaba sin monedas y no nos pitaba falta.

MAPAS DE CONEXIONES: Por la parte de atrás un montón de cables con conexiones eléctricas, por delante un mapa o un esqueleto y los nombres de las ciudades o de los huesos. Si seleccionabas las dos correctas, la luz se encendía como la nariz del Operación. «¿Cómo?, seguro que este es el metatarsiano, ya se me ha vuelto a salir un cable.»

PIROGRABADO: Lo de poner en manos de unos niños aquel aparato que parecía un soldador puede parecer de auténticos pirados, pero milagrosamente salíamos ilesos del experimento y con nuestro cuadro debajo del brazo.

FIGURAS DE ESCAYOLA: Si era tan sencillo hacer la masa con escayola y agua y verterla directamente sobre el molde, ¿por qué el resultado no era siempre el esperado? A base de repetir la operación conseguíamos la figura de yeso completa y, entonces, la pintábamos con las témperas. Llegabas a casa directo para meterte a la lavadora, como los payasos de Micolor.

POMPONES DE LANA: Una me da leche, otra me da lana... y nosotros éramos capaces de transformarla en pompones, en muñecos de punto bobo con las manos en los bolsillos, para ahorrárnoslas, y en aquellos pulpos con lacitos en cada uno de sus tentáculos.

FIGURAS DE PINZAS DE MADERA: Una cruz, una mecedora con su mesa o un práctico cubilete para los bolis, ese día mamá se quedaba sin pinzas para colgar la ropa y nosotros acabábamos mareados por el olor a Supergen. Un poco de barniz o betún de Judea y listo. Estas manualidades han aguantado hasta nuestros días y todavía se sigue viendo en algunas casas. Los palillos y las cerillas también daban mucho juego, para que después nos dijeran que no jugáramos con fuego...

ESPEJOS TINTADOS: Consistía en raspar con un punzón la superficie cromada trasera de un espejo y rellenarla con tinta negra. Si bien no era lo mismo, a falta de espejo también se podía hacer en papel. La cara del Che y la de Jesucristo eran las más repetidas, aunque muchas veces costaba reconocer quién era quién.

CENICERO DE ARCILLA: ¿Un niño haciendo un cenicero?

COMO
HEMOS
CAMBIADO

98978Y009F98EGB. Kiss Crix

IMPUESTO MUNICIPAL
SOBRE CIRCULACION DE VEHICULOS
7
AÑO
1976
2.250
PTAS
YF · A
EGB
600 E

En el AUTO de papá

Hoy nos hemos levantado a las cinco de la mañana; es el día que más madrugamos de todo el año. Mamá no nos ha dejado desayunar y en su lugar nos ha colocado dos trozos de esparadrapo formando una cruz en el ombligo y nos ha dado una pastilla muy amarga, que se llama Biodramina, para que no nos mareemos. Papá ya está bajando las enormes maletas y ordenándolas en la baca del coche diciéndole a mamá que es imposible, que esta vez no va a entrar todo, pero no le hacemos caso porque sabemos que al final siempre lo consigue. Nos vamos de vacaciones al pueblo.

GUAYAS GUAYAAAS

Yo, en realidad, apenas he dormido. Cuando todos se acostaron me volví a levantar para ordenar el maletín con todas las cintas que quería llevar, para no tener que escuchar ninguno de los cassettes del Fary y otras horteradas que papá siempre tiene en el coche. Después, cuando me metí en la cama, no podía dejar de pensar en todo lo que haría este verano en el pueblo y no conseguía que me entrara el sueño. ¿Coincidiremos este año con los de Madrid?, ¿volveré a ver a la que a todos digo que es mi novia, pero a la que en realidad todavía no le he dado ni un beso? Esta vez me declaro.

Por fin ha llegado el momento, ya estamos todos en la calle, aún es de noche y nos montamos en el coche. Papá y mamá se santiguan a la vez, se preguntan el uno al otro si han cogido todo, si han desconectado la luz, han cerrado el agua y todo el ritual... Arrancamos.

Me dedico a repasar si todos los accesorios del coche están en su sitio, mientras le pido a mamá que ponga la cinta que venía de regalo en el último *SuperPop* y que trae *Carrie* de Europe en una cara y *Voyage, voyage* en la otra.

MARINA
¡VIVA MEXICO!
CREVILLENTE I
C-626 DUO GALA a JORGE NEGRETE
ZARZUELA
THE ROYAL PHILHARMONIC ORCHESTRA
AIWA
REUNION
BEATLES A.E.D.E.M.
C-60LX
FUJI
GLORIA DE VIVALDI
LA REVOLTOSA
ESTEREO
NTONIO
MACHIN
ANGELITOS NEGROS
NO ME VAYAS A ENGAÑAR
YO SOY EL SON CUBANO
EL CIEGO ● TU NOMBRE
MI ANGEL PROTECTOR
AMAR Y VIVIR ● MONA
SABROSO ● ESPERANZA
STEREO
eugenio
versión original
kona
CHISTES Y CANCIONES
ACUDITS i CANÇONS
PARRATADAS ● CONTOS
WITZ ● HISTOIRES
Moros y Cristianos

Cosas que no podían faltar en los coches

PAPÁ, NO CORRAS: Me gusta ver mi foto en esa especie de trofeo de toda la familia porque en ella soy mayor que mis dos hermanos mayores y porque la mía es la única foto en color. Lo de la frase no entiendo muy bien por qué es necesaria si ya se encarga mamá de recordárselo cada cinco minutos.

CUBREASIENTO DE BOLAS DE MADERA: Se lo regalamos por su cumple y papá dice que así podría tirarse muchas horas sin necesidad de parar porque esas bolas son mágicas y le hacen un masaje en la espalda mientras conduce. Yo, por más que me fijo, no veo que se mueva ni una sola bola, pero me encantaría que nuestros asientos traseros también las llevaran en vez de esa funda de pelo negra con manchas blancas que mi hermano dice que es una vaca y yo un leopardo, solo por llevarnos la contraria ya que los dos sabemos perfectamente que no son de ningún animal.

POMO DE PALANCA DE CAMBIOS: Hay una estrellita y un caballito de mar, una especie de concha y un alga dentro de un líquido con arena que parece que las haga flotar, como todo lo que cogimos en el mar el verano que estuvimos de vacaciones en la playa, solo que mucho más pequeño y concentrado. Papá nos ha dicho mil veces que es muy peligroso y que no podemos tocarlo, ¡ni que nos fueran a pinchar!

AMBIENTADOR DE PINO: Papá nos ha prometido que con el nuevo ambientador con forma de pino que ha colgado del espejo retrovisor y unas hojas y bolas de eucalipto que ha puesto en la bandeja trasera esta vez no va a oler a coche ni a gasolina. Yo creo que la mezcla de esos olores unido al del cenicero lleno de colillas de tabaco es aún peor y ya me están entrando ganas de vomitar. «Mamá, dame una bolsa, rápido.»

CINTA ANTIESTÁTICA ANTIMAREO: No, si mi pobre padre lo ha intentado todo, hasta ha colocado en la parte de atrás del coche una goma que va arrastrando por el suelo, pero me temo que el problema es, más bien, la cantidad de curvas de esta dichosa carretera.

PARASOL DISCOTECA PENÉLOPE: El gran misterio es averiguar cómo ha llegado la pegatina con la cara de esa chica con sombrero hasta la luna del coche, cuando todos sabemos que papá jamás ha estado en Benidorm, ni va a discotecas. Mejor no preguntar.

DADOS DE LA SUERTE Y OTROS AMULETOS: Por fin mamá ha conseguido que papá quite esa cola de conejo que le daba tanto repelús; en su lugar ahora cuelgan dos grandes dados de terciopelo que no paran de moverse con el ajetreo del coche. Dice que traen buena suerte,

como la virgen y el san Cristóbal del salpicadero y la herradura que va colgada fuera en la parrilla, y que esas dos cosas son sagradas, por lo que nunca las va a quitar. Santa Rita, Rita...

PERRO DE LA BANDEJA DE ATRÁS: Mis hermanos ya están haciéndole preguntas al perrito que llevamos detrás y se parten de risa porque siempre les contesta que sí con la cabeza: «¿Eres tonto?».

TAPETE DE GANCHILLO: Seguro que a la vuelta ya tenemos el nuevo cojín de ganchillo que nos prometió la abuela el año pasado para que no nos peleemos, a juego con el tapete que cubre toda la bandeja trasera del coche. También dice que quiere hacer las fundas completas pero eso le va a llevar tanto tiempo que igual antes ya hemos cambiado de coche.

VENTILADOR PARA EL MECHERO: La gran novedad de este verano es que el coche ya tiene aire acondicionado y parece que por fin este año no vamos a asarnos dentro. Solo hay que enchufar ese ventilador al mechero e imaginarte que el aire que desprenden sus aspas te da directamente en la cara.

PINZA EN EL CINTURÓN DE SEGURIDAD: Lo peor de ser mayor tiene que ser ir delante y tenerse que poner el cinturón de seguridad. Mamá dice que le aprieta y que no lo soporta, pero lo soluciona enseguida colocando una pinza de la ropa. Menos mal que atrás no hay estas cosas.

RENAULT

Cuando le preguntamos a papá si falta mucho para llegar y él nos responde con «mira esas ovejitas o esas vacas», ya sabemos que mejor no volver a preguntarlo en un buen rato. Ya hemos jugado a las matrículas y yo como este año me he aprendido bien todas las que empiezan por C, que son las más difíciles, les he ganado a mis hermanos, pero ellos han visto seis y cuatro capicúas y yo solo dos. En toros Osborne vamos empatados: hemos visto tres cada uno.

También hemos jugado a adivinar el color del próximo coche que va a aparecer y a pedirnos el séptimo que nos adelante como nuestro coche para cuando seamos mayores. Menos mal que a papá no le adelanta ningún 600, ni cuatro latas, ni Panda... A uno de mis hermanos le ha tocado un Supermirafiori, al otro un Peugeot 505 y a mí un R-5 al que pienso ponerle alerón, pegatas de Turbo, faros antiniebla y una antena enorme.

«Mamá, ¿puedes dar la vuelta a la cinta y poner otra vez la de Voyage, Voyage»

Por fin papá se ha desviado de la carretera y ha disminuido la velocidad. Eso significa que paramos a comer. Nosotros sacamos la manta de cuadros que huele a coche y que hace de mantel, papá se encarga de coger la nevera de plástico con toda la bebida fría y mamá empieza a repartir la tortilla y las pechugas de

¿Cuánto queda?
Me mareo...
Tengo hambre...
K-0020-DY

pollo empanadas que salen de esa fiambrera de acero inoxidable que incluye hasta los platos y que nos acompaña allá donde vamos como un miembro más de la familia.

A papá le entran las prisas y dice que tenemos que comer rápido porque si no, nos vuelven a adelantar todos los camiones, pero antes le acompañamos al bar a tomarse un café y a descubrir cuáles son las novedades en ese expositor de cassettes que hay en la barra y que da vueltas. Volvemos al coche con dos cintas nuevas: el *Verano Mix* y la última de chistes de Arévalo. Verás qué risas.

Sacamos las cartas de coches y empezamos a preguntarnos los

AUTO CROSS TURBO
P
START
0- 1- 2- 3- 4- 5-
20 40 60 80 100 120 140 160 180 200 220
0 1 2 3 4 5 6 7 8
TURBO
AUTO CROSS
TURBO

centímetros cúbicos, el número de cilindros, los caballos de potencia, las revoluciones por minuto, el consumo a los 100 kilómetros, y flipamos con que haya coches que pillan los 299 km/hora cuando papá pone el suyo a 120 y parece que va a explotar.

«No corras, no le pises tanto, que no tenemos ninguna prisa por llegar», le vuelve a soltar mamá.

Cómo marea lo de ir leyendo, mejor dejamos las cartas y sacamos los juegos magnéticos del parchís y la oca en ese minitablero con las fichas imantadas. Pero llevamos todo el día en el coche y lo que queremos es llegar ya. A mí no me apetece jugar más.

«Papá, ¿cuándo llegamos?, ¿queda mucho?»
«Qué va, hijo, mira, si ya estoy viendo a la abuelita.»

Cuando nos dice eso sabemos perfectamente que todavía nos queda más de una hora en la que em-

pezará a describirnos paso a paso todo lo que está haciendo esa abuela que solo ve él. Debe de ser telepatía de madre a hijo.

Intento descubrir esos pósters de tías en bolas que dicen que todos los camioneros llevan en los camiones, pero los adelantamientos son tan rápidos que no me da tiempo a ver ninguno. Para mí que es todo mentira, como lo de que en todos esos bares con letreros luminosos de colores en los que pone «club» hay chicas desnudas con las que te puedes ir a la cama si les pagas.

El último tramo antes de llegar es el peor, el que tiene más curvas que el Scalextric y en el que tenemos que parar varias veces hasta que ya hemos vomitado todos. Entonces no nos hacen gracia ni los chistes de gangosos ni los de «¿Saben aquel que diu...?», y papá se queda solo cantando «pero no me importa pi-pi-pi, porque llevo torta pi-pi-pi».

Ahora sí que sí, papá ya ha empezado a pitar en cada curva para que todos se enteren de que llegamos. Es la señal inequívoca de que estamos cerca y que de un momento a otro aparecerá la abuelita en la carretera a la entrada del pueblo. Mírala, ahí está, la pobre seguro que lleva esperándonos ahí todo el día.

Su primera frase es preguntarnos «¿Llegasteis?» cuando es totalmente obvio que estamos allí y no somos ninguna aparición mariana.

Después llega la metralleta de besos, el cómo han crecido sus nietos y qué hermosa se ha puesto su nuera, que a mamá no le hace demasiada gracia porque dice que la está llamando gorda a la cara. Y automáticamente ataca con su frase favorita «Bueno, habrá que comer», cuando todos tenemos todavía el estómago totalmente revuelto del viaje, y no queremos entrar a continuación en ese bucle de preguntar en los postres «¿Qué vamos a hacer para cenar? o incluso ¿Qué hacemos para comer mañana?».

Y así hasta que llegue el último día de las vacaciones y la abuela se despida de todos nosotros llorando y diciendo que ese es el último año porque sabe que no nos volverá a ver más. Y el coche se irá alejando muy lentamente dejándola en ese mismo lugar de la carretera, la salida del pueblo, con el pañuelo en la mano, mientras cada uno de nosotros nos preguntamos interiormente si esta vez acertará. «Y el abuelo, ¿alguien ha visto al abuelo?»

Qué diferente es el camino de regreso a casa. Durante la vuelta solo queremos dormir y soñar con todo lo que hemos hecho en el pueblo este verano, mientras contamos los días que nos faltan para las próximas vacaciones.

8

Tópicos

(¿a que tú también hacías...?)

diga melóooooooooooooooooon

Era inevitable en aquellos años. No había tantos estímulos como pueden haber ahora; solo teníamos dos canales de televisión, la oferta musical era menor, como la ropa, los juguetes y la manera de pasar el tiempo. Quizá por eso éramos todos iguales, o al menos lo parecíamos. Chistecillos, frases hechas, reacciones, manías y costumbres que repetíamos fuéramos de donde fuésemos. «¡Anda! ¿Tú también lo dices? Yo pensaba que solo se decía en mi barrio...»

Nuestra cultura popular, la que marca el modo de vida de un país en un momento concreto, nos indicaba (y nos indica) cómo actuar ante algunas cuestiones de la vida, y se nota que hemos ido a EGB si actuamos de una determinada manera, o conocemos cosas de las que otros (más jóvenes, claro) ni han oído hablar, y nos convertimos en abueletes cebolleta, nostalgicotes, y empezamos con los tópicos:

Le hablas al reloj y le dices «KITT te necesito».

Conoces a tus antiguos compañeros de clase por el apellido.

Cuando en un bar suena una de los ochenta pierdes el sentido del ridículo.

Siempre que suena Culture Club dices «Este salió en el Equipo A» y apostillas «y Ana Obregón».

Todavía pisas latas con el talón para aparentar que llevas tacones.

Si llaman al teléfono contestas de dos maneras posibles: «Hola, Raffaela» o «¿Digamelón?».

Si estás de acuerdo dices «Efetiviwonder».

Sabes qué es el bombero torero (porque cuando eras más jóven lo viste mil veces).

No sabes precisar las veces que has cantado o bailado «Sabor de amor».

Tus frases empiezan siempre con un «Ya no se hacen» y terminan con un «como antes».

Cuando vas en bici no puedes evitar silbar la melodía de *Verano Azul*.

Cuando alguien habla de los Goonies siempre dices «Chocolateeee».

Has visto el final de *Dirty Dancing* más de veinte veces.

Ves mayores a tus antiguos compañeros de clase; eso sí, tú estás genial.

Te resistes a tirar las cassettes cuando haces limpieza en casa.

Eres capaz de integrar en una sola frase las palabras «pelotilla», «Juan», «piruli» y «chachi».

Siempre que estrenas un cuaderno empiezas por poner la fecha arriba a la derecha y con muy buena letra. Poco a poco lo de la letra va a peor.

Te empeñas en que tus hijos o sobrinos lean *Fray Perico* o *El Pirata Garrapata* y te enfadas si no les gusta.

El día que emiten Eurovisión no haces planes y sabes de memoria qué países nos van a dar más puntos.

Solo ves los canales de televisión que reponen series de los ochenta y noventa.

Justificas tus gustos empezando las frases con un «Es que yo soy muy friki de…».

Te emocionas cuando ves que reeditan libros o cosas de la época, aunque los tienes en casa guardados (almacenados).

Tu perro o gato tiene nombre de un personaje de dibujos o de series de la época.

Cuando juegas al singstar o vas a un karaoke siempre eliges las de Mecano.

En tu móvil tienes de tono la musiquilla de una serie de los ochenta…

No podemos negarlo: hoy en día hacemos todas esas cosas porque nuestra infancia y juventud fue así, y eso es algo que no se puede evitar. Todos nosotros dejábamos lo que quisiera que estuviéramos haciendo para acudir a ver la serie de dibujos del momento, y no es que nos aburriésemos jugando en la calle, es que lo de la tele era sagrado. Nos aprendíamos las sintonías de series y anuncios y las canturreábamos.

En cuestiones del corazón con frecuencia negábamos (rojos como tomates) que nos gustaba quien realmente nos gustaba, y en casa nos grabábamos cassettes de lentas sacadas de la radio siempre que el presentador no se las cargara con sus tontas explicaciones. Los más atrevidos escribían con tiza sus iniciales junto a las de la persona amada, algo que podía llegar a borrarse con enfado al día siguiente. Y todos los posibles cotilleos amorosos se veían en las dedicatorias de las carpetas. Dependiendo de qué se le escribía a fulanito o a menganita, se sabía a quién le gustaba quién. Aunque al final aquellas carpetas, entre las dedicatorias y la cantidad de fotos y pegatinas que poníamos, acababan siendo un batiburrillo que no había quien se enterase de nada.

En clase, por ejemplo, había una serie de tópicos que todo el mundo hacía; desde la excusa «Seño, hice los deberes pero se los comió el perro» hasta el más cruel, «No pude estudiar porque se ha muerto mi abuela del pueblo». Todos teníamos un pueblo con abuelas muriéndose y lleno de novios y novias.

En el recreo si nos pedían un trozo del bocadillo teníamos dos opciones:

a) Mi madre no me deja dar. ✗
b) Poner el dedo como tope y que no mordiesen mucho. ✓

Las peleas podían acabar de dos maneras:

a) A la seño vas. ✗
b) ¿Hacemos las paces? ✓

Y es que hay muchas cosas que antes nos parecían normales y ahora no tanto. Y no estamos hablando de que antes todo fuese mejor o que ahora esas cosas ya no son tan buenas como cuando éramos niños; simplemente algunas han dejado de ser como eran y casi las hemos olvidado.

No obstante todavía recordamos que hubo un tiempo en que para llamar por teléfono teníamos que girar una ruletita, y que si tenía muchos nueves aquello podía ser desquiciante, o que debíamos comprar la leche por bolsas o el papel higiénico por unidades (algo inquietante). Tampoco nos extrañaba que para escuchar música tuviésemos dos caras de tiempo muy limitado que teníamos que cambiar, o no tener localizados a los amigos hasta que nos los encontrábamos por la calle (¿os lo imagináis ahora?). También antes era muy frecuente buscar cualquier información en los diccionarios y enciclopedias en lugar de hacerlo en internet (¿una vida sin internet?), que los profes fumaran en clase, tener que tratarles de usted, que nos dieran algún que otro cachete o aquellos golpecitos con la regla en las yemas de los dedos, jugar en la calle hasta que nuestras madres nos gritaban «a comer» desde las ventanas, o verlas bajar con cuchillos y tijeras al patio cada vez que llegaba el afilador con su armónica, ver a un trompetista y

a otro tipo con un teclado junto a una cabra subiendo una escalera...

Lo que no podemos negar es que mucha culpa de ser como éramos era de nuestros mayores, que estaban cortados por el mismo patrón, nos decían las mismas cosas y amenazaban de igual manera. Que si no te comías todo venía el hombre del saco, que si te ibas con el plato a comer a la escalera... Amenazas que hoy no surtirían efecto alguno. Lo malo es que, con los años, nosotros repetimos las mismas cosas que decían y hacían nuestros padres, sobre todo en lo tocante a las supersticiones, y no es que seamos supersticiosos, pero por si acaso... Seguro que más de uno sigue haciendo y diciendo lo siguiente:

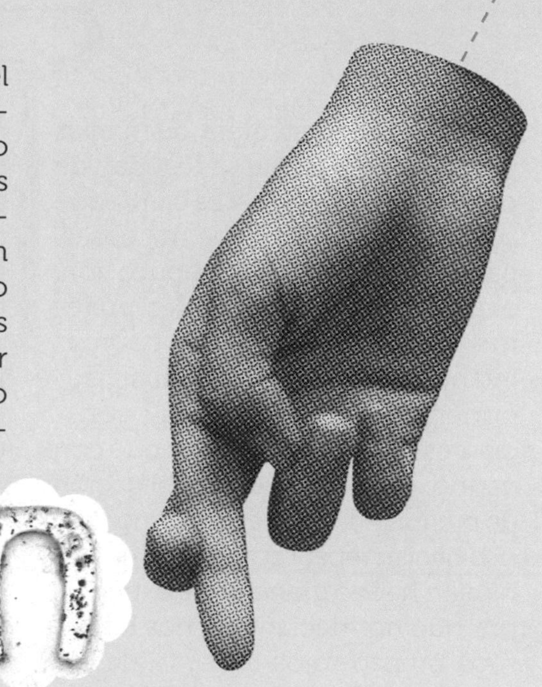

Hay que poner el pan boca arriba, que si no llora la Virgen.

Cuando se derrama la sal, coger un poco y echarla por encima del hombro izquierdo.

No abrir el paraguas en lugares cerrados (aunque luego lo abras en la bañera como si nada).

Poner una cucharilla en la botella de champán para que no se vaya el gas.

Aguantar la respiración cuando tocas una ortiga para que no te pique.

Cerrar unas tijeras que están abiertas.

Cruzar los dedos para desear suerte o cuando se miente (¿tendrá algo que ver?).

Tomar rápido el zumo para que no pierda vitaminas.

Pedir un deseo cuando se vea una pestaña caída (y chocar las manos para que pase de una mano a la otra).

Si se mira fijamente una vela, esa noche uno se mea en la cama.

Si pasa una avispa, hay que morderse la lengua y así no te pica.

Cuando seas padre comerás huevos.

Y así un largo etcétera de manías y supersticiones que se heredan de padres a hijos. Porque es cierto que a los padres se les debe mil cosas: para empezar la vida, la educación, el amor... pero también les podemos reprochar pequeños traumas infantiles que nos provocaban, suponemos que sin ser muy conscientes de ello. Por eso, aunque con cariño, nos vemos en la obligación de preguntarles, por ejemplo, por qué nos hacían repetir payasadas, que les habían hecho gracia, ante extraños, por qué nos decían que nos habíamos puesto rojos (delante de extraños) cuando efectivamente nos habíamos puesto rojos, si aquella era una de las mayores humillaciones posibles, por qué nos obligaban a besar a personas mayores que solo ellos conocían, por qué cuando esos mayores nos querían dar la paga nos obligaban a no cogerla, por qué sacaban nuestras fotos más sonrojantes cuando había comida familiar, por qué nos comparaban (para salir mal parados) con el típico primo que sacaba mejores notas, por qué nos vestían iguales a nuestros hermanos aunque fuésemos de distinto sexo, por qué, si llorábamos, nos pegaban «para que llores con razón», por qué toda discusión acababa con un «porque lo digo yo»...

Por qué, por qué, por qué...

Efectivamente en nuestra infancia teníamos cientos de preguntas que quedaban sin respuesta (como cuál era el lado bueno del papel Elefante para limpiarse, el mate o el brillo, por qué los coches de los malos del *Equipo A* siempre volcaban cuando llegaban a un seto o por qué les hacía gracia a nuestros padres vernos fumar y beber en las fiestas si luego nos lo prohibían).

HONORATO...
¿PONEMOS LA TELE
UN RATO?

Otro foco importante de tópicos se encontraba en nuestras propias casas, y es que, ya sea por nuestras clases de pretecnología o por las abuelas aburridas, todo estaba lleno de macramé, tapetes, reposacabezas, cubre lo que sea... Y la casa entera parecía un museo del ganchillo, con aquel blanco tan sucio además. Pero no solo eso, también hubo una época en la que la bienvenida la daba un enorme perro de porcelana al que, normalmente, le faltaba una oreja o parte del hocico por algún balonazo perdido. Tampoco faltaban las bolsas para el pan que se colgaban en el pomo de la puerta de la cocina, junto al calendario obsequio de la caja de ahorros, sin olvidar los armarios de formica con esquinas despegadas que propinaban buenos pellizcos.

Por el pasillo se veían las horribles fotos de la comunión, de bodas, algún cuadro de esos de hilos (más clases de pretecnología), además de las paredes mal empapeladas (siempre buscábamos los empalmes para despegarlos poco a poco) antes de llegar al salón, donde nos aguardaban más tópicos, y es que en un salón de aquellos años tenía que haber impepinablemente:

Un mueble bar cubierto de eskay.

Un cenicero de pata (de esos que tenías que apretar para que se abriese y poder echar la colilla).

Un enorme televisor con un toro colocado encima (o una pareja regional).

Un cuadro o manta colgada con animales o paisajes.

Una enciclopedia y cientos de libros (sin abrir) de Círculo de Lectores o Discolibro.

Butacas de eskay que se abrían y se llenaban de ropa.

Recuerdos (todos preciosos) de viajes, ya fueran platos colgados, ceniceros, posavasos...

Regalos (todos preciosos) de bodas y comuniones, tales como palomas de porcelana, una figurita de una pareja de casados, un platito con los nombres de los novios en dorado...

¡NO VALEEEE!

YO PASO...

UN, DOS, TRES... AL ESCONDITE INGLÉS

EN CUANTO PUEDA ME LAS PIRO

¡EH, TÚ! DEJA DE MIRAR Y TRÁEME HOJAS DE MORERA FRESQUITA, ÑAM... ÑAM...

VEO... VEO...

¡CAPULLO!

AUNQUE EL GUSANO SE VISTA DE SEDA...

ZZZZZZZZ

Si la casa era la de los abuelos, se sumaban a estos tópicos: el bastonero en la entrada, con un rectángulo de madera (recuerdo de quién sabe dónde) para dejar las llaves, un termómetro colgado en el pasillo, el taco del calendario del Corazón de Jesús pegado en la cocina, un montón de fotos de la familia por todas partes en cientos de portarretratos, figuritas de cristal de dudoso gusto, una máquina de coser de las de antes tapada con una sábana vieja... Pero lo mejor de todo es que en casa de los abuelos siempre había pastas de té, de esas que venían en latas que luego servían para guardar los hilos y las agujas. Aunque el tópico al llegar a casa de los abuelos era esperar a que nos diesen la paga sin tener que pedirla. Y había algunas veces que parecía que se les olvidaba...

Lo que está claro es que los tópicos se crearon a fuerza de costumbre, y si la costumbre se extiende y perdura, tan malos no serán estos tópicos, ¿no? Por otro lado no hay mayor tópico que hablar de los tópicos. Vaya, parece que al final me ha quedado un final de capítulo bastante tópico...

PALMA DE MALLORCA
Dios os guarde

tu foto aquí

CORDILLERA CANTABRICA
PIRINEOS
SEP 71

¿A quién no le ha pulverizado su
madre con esto al salir de casa?
Lo peor era cuando salía a chorro
y te daba de lleno en el ojo.

Rob Lowe
Por la calle de la A
me encontré a la M
y me dijo que la O
estaba loca por la R
Super POP
colección
OLÉ!
35
Kylie Minogue
PARIS DAKAR 87
DAF Trucks
MICHELIN
Steco
600
MICHAEL J. FOX
Duran Duran
MADONNA
PAUL young
DEN harrow
LUIS MIGUEL
EL TERMOMETRO ADHESIVO de Super POP
HOMBRES G
en "SUFRE MAMÓN"

9

Si pasas por el **quiosco**, tráeme...

Normalmente cuando íbamos a un quiosco era para comprar chucherías, sobres de cromos o, con los años, algún que otro cigarrillo suelto. Nos parecían curiosas aquellas casetas en medio de la acera, pequeñas y forradas por fuera de revistas de todo tipo. «Mira, justo detrás están las porno. ¿A que no preguntas el precio de la *Clima*?»

Quitando los tebeos, la mayoría de las revistas eran para mayores, o eso creíamos, pues por lo general no nos interesaban mucho. Y ya los periódicos, en blanco y negro y llenos de letras, ni te digo. En cuanto a las revistas había para todos los gustos: para los amantes del motor (*Autopista, Motor mundial, Automóvil, Motor 16*...), para los que les gustaba la moda y estar guapo o guapa (*Dunia, Telva, Burda, Cosmopolitan, Hogar y moda*...), para los enganchados a los videojuegos (*Micromanía, Hobby consolas, Ordenador popular*...), incluso a los que les encantaban los tebeos para adultos (*1984, Makoki, Rambla, El Víbora, Cimoc*...). Vamos, que a todos nos gustaba alguna publicación, y se escuchaba a menudo eso de «Si vas a pasar por el quiosco, tráeme la de...».

NOMBRE

NÚM. AÑO POBLACIÓN

CALLE Nº TLF.

Los Tebeos

Las primeras publicaciones que cayeron en nuestras manos fueron los tebeos. Entonces no había cómics ni novelas gráficas ni mangas ni nada de eso. Eran todos tebeos; daba igual su forma, tamaño o temática, solo los diferenciaba el público al que iba dirigido, para mayores o para todos. Vamos, si decían tacos y salían desnudos o no. Lo importante era que estuviesen llenos de viñetas, muchos golpes y no demasiada letra. Y pronto nos enganchamos a las aventuras de los sufridos personajes.

Mortadelo y Filemón, los reyes del cacharrazo y del estropicio.

La familia Cebolleta, con ese abuelo con gota contando batallitas.

Pepe Gotera y Otilio chapuzas a domicilio, más peligrosos que un mono conduciendo.

Botones Sacarino, siempre fumando, algo que hoy no se vería muy bien...

Carpanta, con un apetito tan grande como su mala suerte.

Superlópez, proveniente del planeta Chitón y con una Luisa Lanas un tanto nerviosa...

Las hermanas Gilda, genial revisión de Vázquez del Gordo y el Flaco.

Rompetechos, con su problemilla en la vista.

Zipi y Zape, capaces de sacar un 0 o un 10 entre travesura y travesura.

Anacleto agente secreto, una especie de James Bond... eso, una especie...

Mención aparte merecen unos pequeños tomos, en forma de libro de bolsillo que costaban 15 pesetas (un dineral), que se llamaban **Copito**, editados por Bruguera, y que apenas duraron seis años a la venta entre finales de los setenta y primerísimos ochenta. Allí descubrimos a **Maguila Gorila**, al **Lagarto Juancho** o al **Oso Yogi** casi antes que en la tele, en los dibujos de Hanna-Barbera. A pesar de su corta vida, aquellos libritos nos fascinaron de tal manera que es difícil recordarlos sin dejar escapar una lagrimilla insolente...

Más difusión y una vida más larga tuvieron los tomos de **Don Miki**, unos trece años a la venta, en los que nos familiarizamos con el **Pato Donald**, el propio Miki o los **Jóvenes Castores**. Y por supuesto guardábamos como oro en paño la enciclopedia de los jóvenes castores. Anda que no aprendimos pocas cosas en aquellos tomos de tapa dura...

Luego, cuando cumplimos unos pocos años más, nos empezamos a decantar por los superhéroes: unos personajes más serios y valientes, que eran la imagen de lo que nos gustaría ser. Por eso en lugar de Mortadelo leíamos el **Capitán Trueno**, **Conan**, **Jabato** o el **Guerrero del Antifaz**, que ya en su momento habían leído nuestros padres, hasta que llegó el universo **Marvel,** por un lado,

y **DC** por otro para enseñarnos a unos personajes dotados de unos poderes que hacían que las aventuras fuesen más divertidas: **La Patrulla X** (nada que ver con el X Men de ahora), **Spiderman**, **Batman**, **Superman**, **Los 4 fantásticos**. Esto ya era el no va más; explosiones, vuelos, rayos láser... Nuestro mundo ideal estaba en los tebeos y ya no queríamos salir de allí. Mientras, los mayores leían los periódicos. Ellos se lo perdían.

Nuestros libros

Y cuando pensábamos que en los tebeos estaba todo y que ya no leeríamos otra cosa van y nos regalan libros. Pero si no tiene dibujos... Un cumpleaños, la comunión o unos reyes eran perfectos para cambiar el hábito de lectura y empezar con algo más de adultos. Y la verdad es que cambiar tan de sopetón eso de leer con fotos a leer sin ellas se nos hizo difícil, por eso nos hicieron la trampa con libros-juego, como los de **Elige tu propia aventura**, donde saltábamos de una hoja a otra leyendo el libro de manera desordenada para descubrir si conseguíamos el tesoro o bien nos despeñabamos

Si quieres continuar con la aventura, pasa a la página siguiente.

Si quieres escuchar música, vete al capítulo 10.

Si tienes sueño, cierra el libro y sigue leyendo mañana.

por el Himalaya. Había también algún que otro dibujo para descansar la vista. Y claro, nos enganchamos. Aquello era igualmente divertido, por eso salieron un montón de libros donde debíamos elegir la suerte del protagonista.

Ya nos habíamos acostumbrado a jugar leyendo y van y nos regalan los libros de **Los Cinco**, **Los Hollister**, **Torres de Malory**... Ahí ya no había que jugar, aquello era lectura pura y dura. Y con el tiempo nos hicimos fans de los libros de **Enid Blyton** y compañía. Aun así, de vez en cuando leíamos algún que otro tebeo con nostalgia (niños con nostalgia, el no va más).

LOS CINCO EN PELIGRO
Enid Blyton
Juventud

PUCK
ES LA MÁS FUERTE
Lisbeth Werner

Una historia en la que TU eres el héroe
LA MALDICION
J. H. Brennan
LIBRO JUEGO
Altea junior
LA BUSQUEDA 6 DEL GRIAL

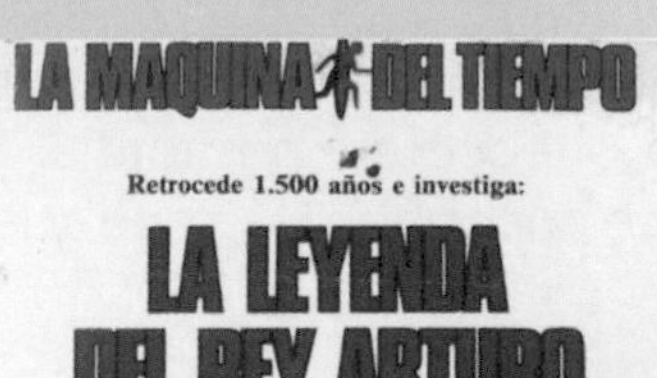
LA MAQUINA DEL TIEMPO
Retrocede 1.500 años e investiga:
LA LEYENDA DEL REY ARTURO
Ruth Ashby

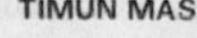
TIMUN MAS

COLECCION HISTORIAS SELECCION
JULIO VERNE
VIAJE AL CENTRO DE LA TIERRA

Enid Blyton
2º GRADO EN TORRES DE MALORY

En las peluquerías

Uno de los traumas que solíamos tener cuando nos llevaban a cortar el pelo (lo de ir a cortarse el pelo ya era de por sí traumático) era el tema de las revistas. Porque aunque tuvieses hora siempre tenías que esperar un montón: «Quédate aquí y no te muevas que luego vengo a buscarte». Más de uno habrá pensado que nuestros mayores utilizaban en ocasiones la peluquería como el lugar donde dejar al niño o a la niña un rato cuando ellos tenían que hacer algún recado. Y claro, si tenías que esperar tanto tiempo, lo de hojear una revista o tebeo era primordial, y no siempre encontrabas lo que querías.

Si eras chica y te llevaban a la peluquería de tu madre, allí solo había revistas de esas de cotilleo; **Garbo**, **Pronto** (con aquellas impactantes portadas de titulares dudosos), **Lecturas**, **¡Hola!** y demás, y ni rastro de **Esther y su mundo**, ni **Jana**, ni **Lily** ni nada por el estilo, y todo estaba lleno de mujeres con rulos hablando de lo que veían en aquellas revistas. «Mira qué guapa está la reina de tal país» «Qué caradura es tal torero...» Bufff, ni siquiera un tebeo de **Mortadelo y Filemón**, dando por hecho que a una niña tenían que gustarle las revistas del corazón o de decoración y moda...

LA MEJOR REVISTA SEMANAL PARA CHICAS
JANA
82
90 PTAS.
JANA
¡Otra sorpresa!
ARIA
¡Termina la aventura!
MODA
¡Los colgantes más divertidos!
¡NUEVO!
Claudia y Marcela
GRANDES IDEAS
sarpe

Por otro lado, si eras chico y te llevaban a la barbería de tu padre, podías encontrarte dos montones de publicaciones bien diferenciados: en uno de ellos (el nuestro) había viejos y destrozados tebeos de la editorial Bruguera que no los cambiaban aunque pasase una década, y alguno, también destrozado, de superhéroes que parecían haber pertenecido al propio peluquero cuando tenía nuestra edad; en cambio, en el otro montón (el de los mayores), las publicaciones se renovaban constantemente, ya fueran los periódicos (**Marca**, **Ya**, **El Mundo**, **El País**, **Cambio 16**, **As**...), que no nos interesaban lo más mínimo, como la **Interviú**, que traían cada semana y que mirábamos de reojo sin atrevernos jamás a cogerla, por lo que finalmente acabábamos leyendo por vigésimo quinta vez el mismo tebeo roto. En alguna ocasión encontrábamos una de *Esther y su mundo*. «Pero si esto es para chicas...»

Las revistas y la televisión

Si había una revista que nos reconciliaba con el gusto de nuestros mayores era **Tele Indiscreta**, y ello por dos razones: porque la televisión nos volvía locos y porque solía regalar cosas normalmente para los más pequeños. Salió a mediados de los ochenta y costaba 50 pesetas (¿Una revista que costaba unos 30 céntimos de euro?) y habitualmente venía algo de regalo: unas pegatinas de *V* por aquí, un álbum de cromos de animales por allá. Y siempre con pósters centrales de las series del momento. Y es que los de la revista eran listos: sabían que si se metían en el bolsillo a los niños, los padres pasarían por caja.

No podemos negar que **El coche fantástico**, **V** y **El equipo A** no habrían sido lo mismo sin *Tele Indiscreta*, y viceversa, por eso todos tuvimos la pistola de Donovan, las pegatinas de **KITT** que cambiaban de color o de **M.A.** y compañía que olían. Pero no todo eran los regalos, porque en su interior la revista era igual de apasionante, y eso que solo había dos canales (con la entrada de las privadas los redactores de la revista empezaron a tener más trabajo y poco a poco la publicación se fue encareciendo). Fichas de películas, entrevistas con los famosos del momento, eso sin olvidar los coleccionables de **Sensación de vivir** o las telenovelas de mayor audiencia... Y todo muy bien detallado. En 2008 echó el cierre y nos quedamos un poco huérfanos. Claro que la tele también ha cambiado mucho.

Otro clásico de las revistas de televisión es **TP** (Tele Programación), la más longeva ya que se lleva publicando semana a semana desde los años sesenta y ahí sigue. Una revista pequeñita que consiguió su puesto de honor en las baldas de los quioscos y que ha hecho que los TP de oro sean los Óscars de la tele, más o menos...

Aunque ahora **Clan tv** nos suene más a una cadena de televisión, hubo en su momento una revista sobre programación televisiva llamada así, que trataba de competir directamente con la todopoderosa *Tele Indiscreta*, sin conseguirlo claro, ya que había otras competidoras más potentes aún como **Supertele** o **TvPlus**, que tampoco consiguieron desbancar a nuestra revista favorita, que poco a poco dejó de regalar pegatinas y pósters, por lo que también dejó de interesarnos. Con los años hemos descubierto que *TP*, desde su humilde presencia en los quioscos, ha sabido mantenerse.

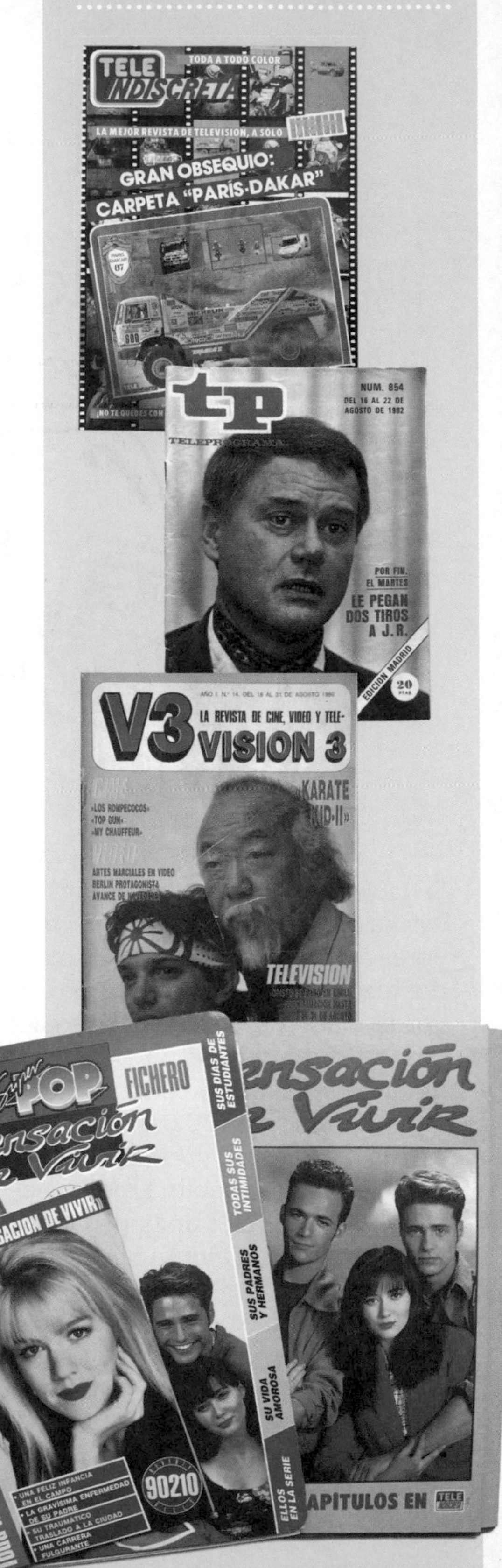

TELE INDISCRETA
OUCHS! CREO
QUE HE PISAO
UN LAGARTO...
YO DOS
V

Las revistas para adolescentes

Y pasaron los años y nuestros intereses empezaron a cambiar. Nos gustaban los actores y actrices de las series por encima de su interpretación, empezábamos a fijarnos en las canciones de la radio que grabábamos, queríamos saber todos los secretos de los cantantes y comenzamos a pegar en las carpetas fotos y pegatinas con las estrellas del momento. Y claro ya no había Mortadelos ni programación televisiva ni nada de eso. Nos estábamos haciendo mayores.

Por lo general esas revistas eran principalmente de música, con artículos sobre los guaperas de moda, ya fueran de televisión, cine o modelos. Una de las pioneras fue **El gran musical**, centrada obviamente en la música y que empezó su andadura a principios de los setenta. Muy ligada a la línea de los 40 principales, fue para muchos la mejor revista musical de aquella época, aunque los amantes de la música, digamos menos comercial, preferían otras como **Vibraciones**. Con el tiempo abrieron sus contenidos y tocaron otros temas de gusto adolescente.

Una revista que entró como un elefante en una cacharrería fue **Vale**, considerada casi pornográfica debido a sus portadas y a unos artículos que no tenían desperdicio. Luego tuvo una reencarnación llamada **Nuevo Vale** de temática más juvenil, aunque las madres seguían torciendo el gesto cuando nos veían hojeándola. «Pero ¿eso no es de guarradas para mayores?»

Aunque sin duda la que se llevó el gato al agua fue **Super Pop**, y es que la comprábamos un jueves sí un jueves no, que era cuando salía a la venta. Solían ponerla bien visible en los quioscos para que supiéramos cuándo estaba disponible el nuevo número (como si no lo supiéramos ya). El secreto de su éxito fue el mismo que el de la *Tele Indiscreta*, esto es, los regalos.

Empezaron tímidamente con pósters y alguna que otra pegatina, para seguir con anillos, las pulseras de Madonna, carpetas, calendarios, incluso cassettes con los temas del momento. ¿Quién podía resistirse? Los artículos eran de lo más jugosos, a saber, las confidencias de los can-

tantes y actores, los traumas sexuales o de infancia de tal o cual famosete, las increíbles cartas de los lectores, el horóscopo... Un batiburrillo que nos encantaba y que enganchaba con los temas candentes. Si *Tele Indiscreta* le debía mucho a *El coche fantástico*, *V* o *El equipo A*, *Super Pop* ganó muchos adeptos con **Sensación de vivir**, **Hombres G**, **Madonna** o **Europe** entre otros. Fue, sin duda, una revista que adorábamos aunque, eso sí, la destrozábamos implacablemente recortando las fotos para ponerlas en las carpetas.

hez Abulí
1936
EL PAP
REVISTA SATIRICA Y NEURA
ANGEL
GUARD
SOLO PARA ADULTOS
el VÍBORA
TODA LA VERDAD
SOBRE
EL GOLPE
99 pts
ESPECIAL
AQUÍ NO
PASA
NADA!!
EL COMIC DE LA FANTASIA Y LA
TOUTAIN EDITOR
CON EL COLOR
INIGUALABLE DE
RICHARD
CORBEN
Y JUAN
GIMENEZ

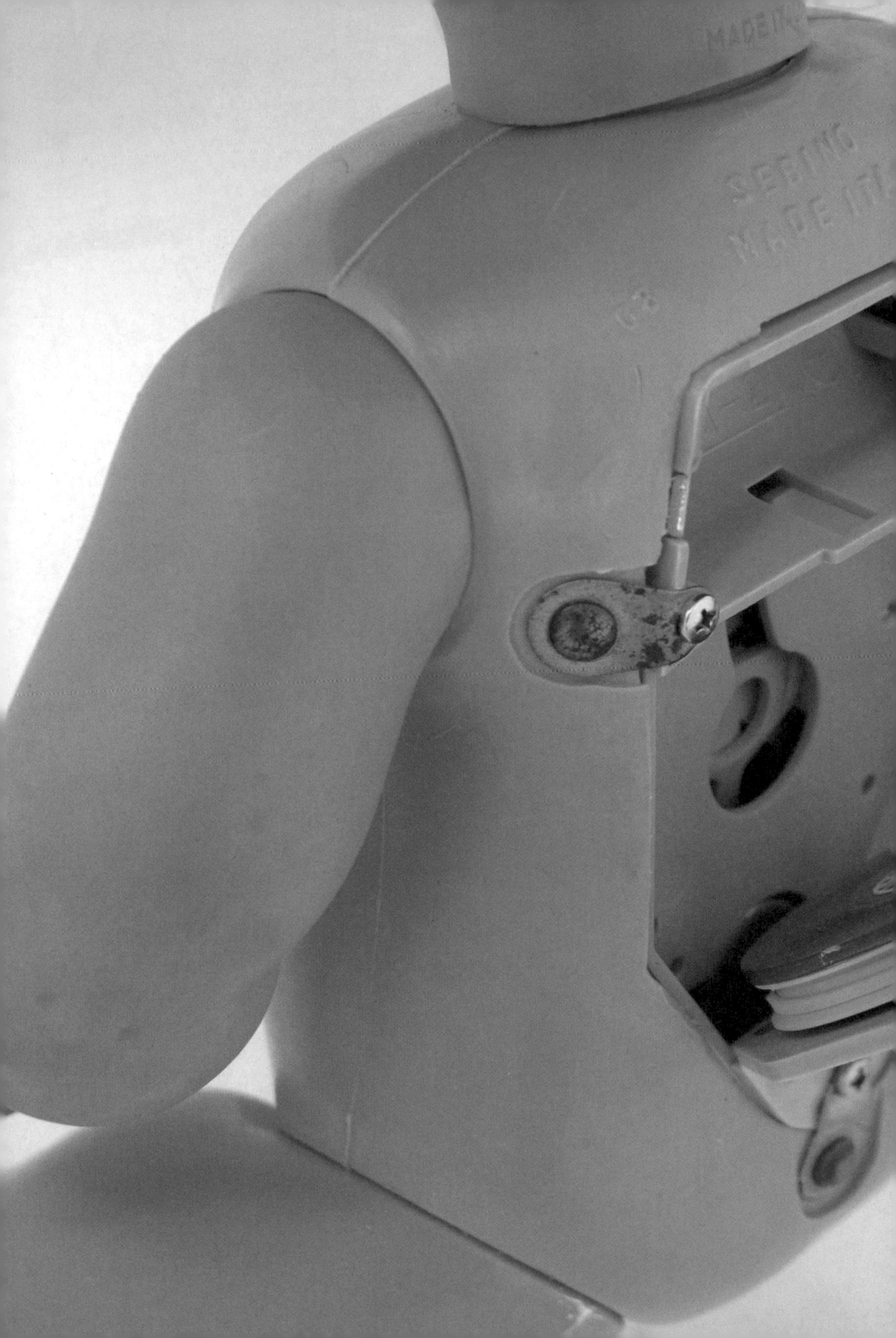

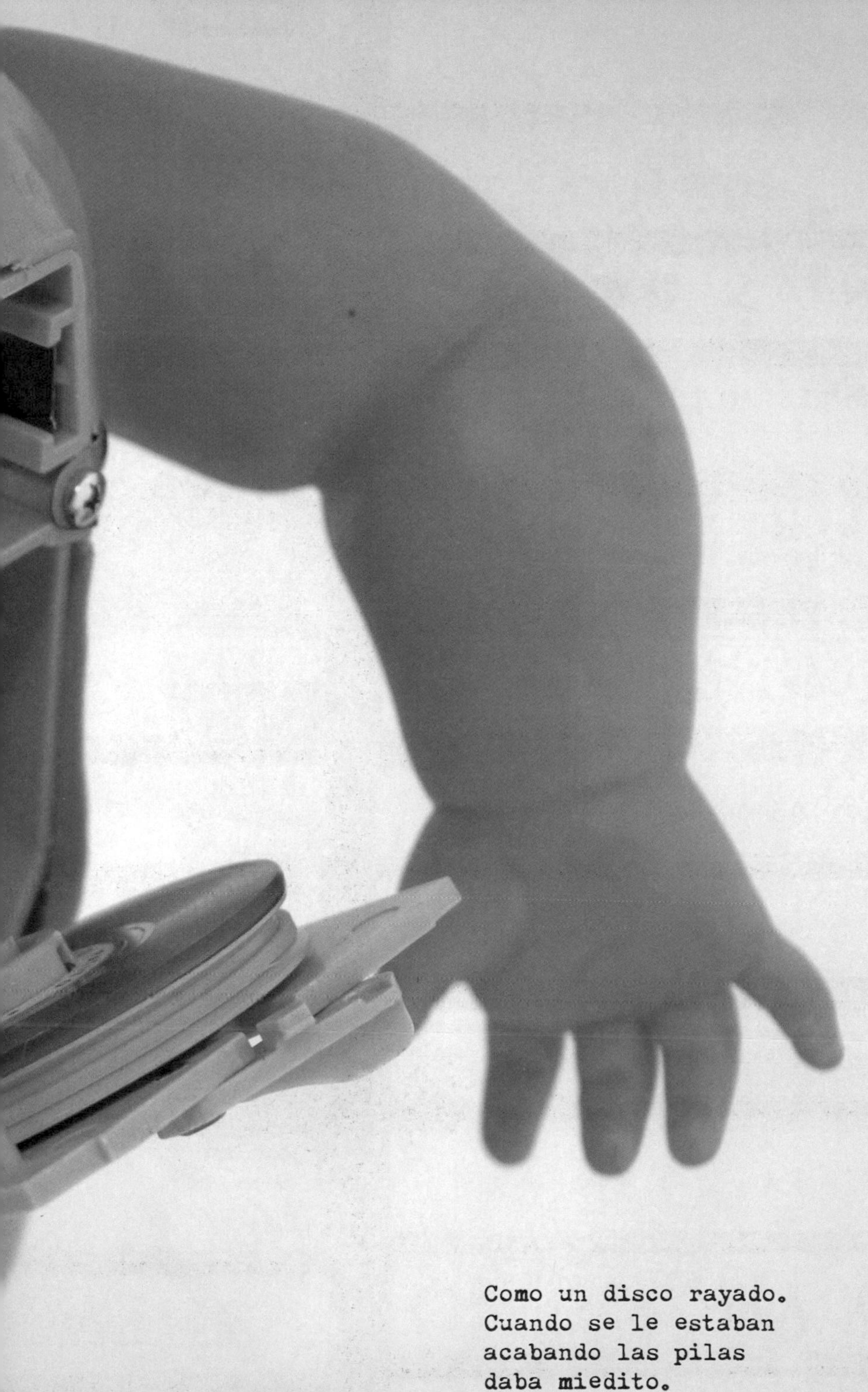

Como un disco rayado.
Cuando se le estaban
acabando las pilas
daba miedito.

SCORPIONS - STATUS QUO.

ESKORBUTO. "ANTI TODO".

LENTAS

SINIESTRO TOTAL
GRANDES EXITOS
KB-511
STEREO

LOS CHICHOS
CHICHOS... SIEMPRE
STEREO
71 66 028

NEGU GORRIAK
GEURE JARRERA
NEGU GORRIAK
GORA HERRIA 91

MADNESS Al completo
50080
(VMC-18)

OASIS

Joaquín Sabina
HOTEL DULCE HOTEL
7A
408409

U2 "RATTLE AND HUM" (1988)

LA POLLA RECORDS

NIRVANA
UNPLUGGED.

TOREROS MUERTOS

TDK
D90
U2

TDK
D60
MUSICA

TDK
D90
AC-DC

TDK
D90
JUDAS P

Epic

TDK
D46
EMILIO

TDK
D90
EROS RA

TDK
D90
GARY MOOR

TDK
D90

SEPULTURA

Alanis Moriss

EMI
TINA TURNE

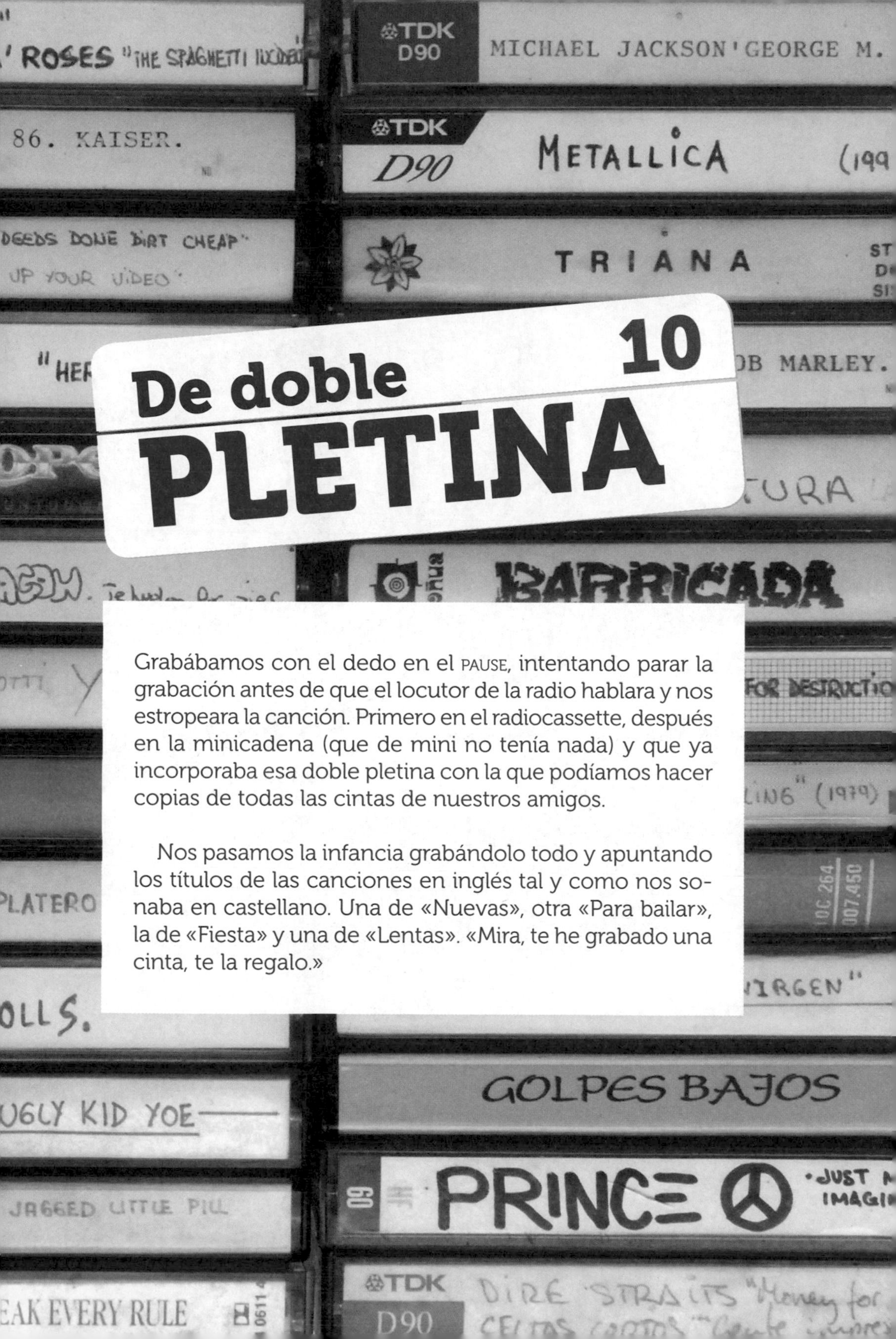

De doble PLETINA 10

Grabábamos con el dedo en el PAUSE, intentando parar la grabación antes de que el locutor de la radio hablara y nos estropeara la canción. Primero en el radiocassette, después en la minicadena (que de mini no tenía nada) y que ya incorporaba esa doble pletina con la que podíamos hacer copias de todas las cintas de nuestros amigos.

Nos pasamos la infancia grabándolo todo y apuntando los títulos de las canciones en inglés tal y como nos sonaba en castellano. Una de «Nuevas», otra «Para bailar», la de «Fiesta» y una de «Lentas». «Mira, te he grabado una cinta, te la regalo.»

+10
0
-10
10kHz
5 BAND
GRAPHIC EQUALIZER
RECORDING SYSTEM
0
-20
70Hz
350Hz
1kHz
3.5kHz
PHONES
BALANCE
LEFT
RIGHT
FUNCTION
TAPE
PHONO
VCR/AUX
MIN
▼DOWN
VOLUME
▲UP
HI-SPEED DUBBING · ONE PUSH DUBBING
AUTO TAPE SELECT · REVERSE RECORDING
METAL (PB)
DOLBY NR
DIRECTION
REV PLAY
PLAY
1
DECK
PLAY
2
DECK
REC/PLAY
QUICK REVERSE
SYNCHRO DUBBING
STOP
EJECT

Anatomía de un cassette (virgen)

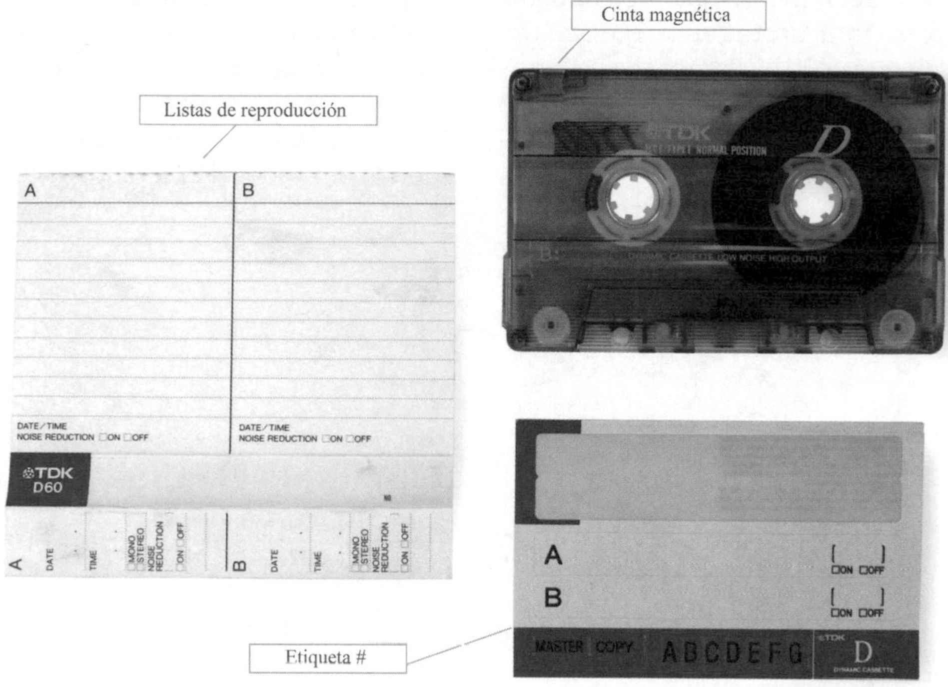

En las de **46** la cara A iba en la cara A y la B en la B, como en el disco de vinilo, pero nos pasábamos el día dando la vuelta a la cinta. En las de **90** podíamos meter un disco en cada cara y mezclar cosas que pegaban tan poco como los Communards con ACDC, *Brothers in Arms* de Dire Straits con Rosendo o Barón Rojo con Bananarama (al menos estos dos empiezan por la misma letra). Y en las de **60** sobraba tanto espacio que entraban un montón de canciones de relleno. «Tú méteme lo que tú veas, pero que no quede nada en blanco.»

Lo habitual era utilizar cintas vírgenes de tipo **normal** que eran las más baratas, solo en ocasiones muy especiales nos podíamos permitir comprar una de **cromo** y si utilizábamos las de **metal** ya significaba que éramos el fan absoluto número uno de ese grupo y que podíamos presumir de que aquello era el no va más de sonido. ¿De verdad se notaba la diferencia?

Si sabíamos perfectamente que solo había que romper esas **pestañitas** para proteger la grabación, ¿por qué no lo hacíamos? La de broncas que nos habríamos ahorrado con nuestros hermanos por grabarnos algo encima.

¿Una cinta de propaganda que no molaba? Le plantábamos un **trozo de celo** tapando el agujero y a grabar encima. Quedaba un poco cutre, pero se oía igual.

Horror era comprobar que nuestra cassette favorita se había enganchado o enroscado. Entonces entraba en funcionamiento el boli BIC, que encajaba perfectamente en sus ruedas dentadas. Paciencia, mucha

paciencia y un recuerdo en forma de sonido extraño en medio del estribillo.

Había auténticos profesionales que a base de empalmes se hacían su propio *max mix*.

Si la cosa era más grave siempre podíamos quitar los cuatro tornillos y abrirla, pero sabíamos que lo de que todo volviera a su sitio y no nos sobrara ninguna pieza era misión imposible. «¿Dónde iba esta pieza metálica con un cuadradito de fieltro? ¿Será importante?»

A la hora de decantarnos por una u otra marca era fundamental el cartón que traía para apuntar las canciones y las *pegatas*. Cuantas más tuviera de repuesto, mejor. ¿Por qué justo cuando ya lo teníamos apuntado, se corría la tinta?

WILLAGE people - IN THE navy
Fecha:
VIOLA wills - GONNA get ALONG WITHOUT YOU now
LABELLE - lady MARMALADE
BONEY M - daddy COOL
baccara - SORRY I'M A LADY
Silvester - YOU MAKE ME feel (MIGHTY real)
AMANDA lear - follow ME
BOYS TOWN gang - CAN'T TAKE my EYES off YOU
eartha KITT - where IS MY man
MODERN talking - YOU'RE my HEART YOU'RE my
CASAL
THE weather
evelin THOMAS
DEAD or alive - YOU SPIN ME round
miguel BROWN
alaska y dinarama
sinitta: toy BOY
ALASKA y DINARAMA
quiero SER SANTA (CHOCHI mix)
jocelyn BROWN & KYM mazelle - NO MORE tears (ENOUGH IS ENOUGH)
erasure - LOVE hate YOU
sin WITH SEBASTIAN
DANCING QUEEN
N.R YES NO
maxell
POSITION NORMAL

Carátulas artesanales

El mejor momento del mes era cuando recibíamos el nuevo **BID de Discoplay** en el buzón. Nos servía para conocer perfectamente las portadas de todos los discos y para recortarlas y hacer con ellas nuestras propias carátulas.

Apuntar los títulos tal cual era un poco aburrido, mucho mejor animarnos a imitar la misma tipografía que las bandas utilizaban en sus logos o incluso hacer nuestro propio dibujo de la portada original. ¿Se puede ser heavy sin haber dibujado nunca a Eddie de Iron Maiden?

Auténticas obras de arte en 10 x 6,5 cm que si se quedaban cortas siempre podíamos reconvertir en un largo desplegable. Recargadísimos *collages*, fotocopias, letras hechas con aquella regla plantilla, recortes de revistas, todo tipo de dibujos a boli, pinturas o rotulador y algún que otro tachón. Estos eran todos nuestros recursos hasta que el ordenador mató a la estrella de las cintas. ¿A que recordáis vuestras primeras carátulas, artistas?

Porque yo tengo una banda

Lo de tener nuestro propio grupo de música nos quedaba un poco lejano, y en la tele lo más parecido a *OT*, en forma de programa cazatalentos, era **Gente Joven** que tampoco es que resultara muy atractivo, a pesar de que Mecano saliera de allí.

Eso sí, nos tragábamos todos los videoclips y actuaciones musicales de la tele y nos aprendíamos las coreografías que después ensayábamos en la calle el día que alguno bajaba el «loro» a pilas. Hasta lo intentamos con el breakdance...

La verdad, no nos podíamos quejar, programas como **Aplauso**, **Tocata**, **Plastic**, e incluso **La edad de oro** de Paloma Chamorro para los más avanzados, eran capaces de contentar lo mismo a heavies que a pijos, a rockers, a mods o a los más punkis, con actuaciones internacionales de auténtico lujo, por lo que al final nos acababa gustando un poco de todo.

Si nos poníamos muy pesados en casa con lo de la banda, lo peor que nos podía pasar es que nos apuntaran a solfeo y descubrir lo aburrido que resultaba interpretar pentagramas y representar el compás de cuatro tiempos con la mano. ¿De verdad que aquello era música? Pero es que encima nuestros padres

estaban empeñados en que aprendiéramos a tocar ¡el acordeón!

Mejor tirar por la vía autodidacta; solo había que hacerse con los instrumentos adecuados. La pandereta y la zambomba no valían, a no ser que quisiéramos pasarnos la vida cantando villancicos. Nos olvidamos también de la armónica de plástico tipo afilador, las turutas, la flauta, el xylomatic y el mini song book (que pusiera «Ti» en lugar de «Si» no era muy fiable). Aquello no eran más que juguetes y nuestra banda tenía que ser muy auténtica. En serio, no íbamos a salir al escenario tocando la batería sobre un bote de Colón.

Nuestro primer instrumento de verdad llegaba el día de la comunión si había suerte y nos regalaban el deseado **teclado Casio**. Cuanto mayor fuera el número que acompañaba al PT, más profesional se suponía que era. Pero el tamaño era lo de menos, lo importante es que tuviera un montón de melodías pregrabadas con ritmo de blues, samba, rock, bossa nova... y que contara con la opción de tocar siguiendo las lucecitas. Conseguir sacar una canción nosotros solos, que no fuera el «Cumpleaños feliz» o «Noche de Paz», ya era otra cosa.

Pero la culpa de que hoy en día no seamos todos estrellas del universo musical la tuvo la profesora de música empeñada en que tocáramos la flauta en sus clases. Vamos a ver, ¿qué banda de rock incorpora en su formación una flauta dulce?

Heidi
Banda original de la serie de
rtve
RCA
Heidi
Victor

Grupos infantiles

Los grupos infantiles de finales de los setenta y principios de los ochenta se convirtieron en superestrellas y la clave fue que gustaban tanto (o más) a nuestros padres que a nosotros mismos. Lo que está claro es que sus canciones formarán parte para siempre de la banda sonora de nuestras vidas.

PARCHÍS: Fueron los *number one* indiscutibles y le daban a todos los palos, desde canciones propias hasta versiones de los grandes éxitos de mayores pasando por sintonías de nuestros dibujos y series favoritas. Desde entonces no han dejado de felicitarnos ni un solo cumpleaños.

ENRIQUE Y ANA: Qué hubiera sido de nuestra infancia sin *La Gallina Co-co-ua*, *Garabatos y ocho patos*, sin saber cómo termina la chinita que se pierde *En un bosque de la China*, preguntarnos qué es un *Coconut* o un *Alibombo* y despedirnos de *Mi amigo Félix* junto a los animales del bosque y todo con la

¿SABÍAS QUE...?

El grupo Parchís surgió de un anuncio publicado por una compañía discográfica en los periódicos de Barcelona que buscaba niños de ocho a doce años que cantaran bien y tuvieran un buen sentido del ritmo. Se había pensado que fueran los cuatro colores de las fichas del parchís, pero al seleccionar a un quinto miembro le asignaron el color blanco del dado.

vocecita de esa niña que tenía prácticamente nuestra edad. Nos enseñaron a multiplicar y ponían de moda todo lo que pillaban: el hula-hoop, el super disco chino, las antenitas para la cabeza... ¿Caza tendencias?

¿SABÍAS QUE...?

Tras ocho años juntos, anunciaron su separación en el programa *Dabadabadá* interpretando la *Canción de despedida* en 1983. Fue todo un dramón.

LOS PAYASOS DE LA TELE: Eran los más queridos por grandes y pequeños, y bastaba con oír su grito de guerra «¿Cómo están ustedes?» para alegrarnos el día. Cada una de sus canciones *Hola, don Pepito, Susanita tiene un ratón, Los días de la semana, Mi barba tiene tres pelos, El auto nuevo*... son ya clásicos populares que se transmiten de generación en generación. Es ver a un niño y automáticamente nos sale cantárselas.

¿SABÍAS QUE...?

La gallina es Turuleca y no Turuleta como todos lo hemos cantado.

TORREBRUNO: No había un programa infantil en los setenta en el que no apareciera este pequeño gran personaje con su acento italiano. Suyo es el mayor himno de aquella época: *Tigres y leones*.

había una vez un
CIRCO
GABY, FOFO Y MILIKI
IN THE U.S.A./BRUCE
EL DISCO DE LOS ÉXITOS
30 ÉXITOS
¡BOOM!
6
MÁS DE 2 HORAS DE LA MEJOR
Olé Olé
Tennessee
Eros Ramazzotti
Paul McCartney
Big Fun
Tina Turner
Gabinete Caligari

REGALIZ: «No es posible competencia, sin duda soy el mejor. Soy **Horacio Pinchadiscos** de los discjockeys campeón.» «Horacio.» «¿Qué?, ¿qué?, ¿qué?» «Cómo te lo montas, tío.»

Así cantaba este grupo creado por la discográfica de Parchís siguiendo exactamente los mismos pasos, pero que, aunque funcionaron, siempre estuvieron en un segundo plano.

NINS: Parecía que la condición indispensable para pertenecer a este grupo era ser rubio, rubísimo o haberse excedido con la camomila. En realidad era como una escuela por la que pasaban un montón de niños hasta que cumplían los doce años, edad a la que misteriosamente desaparecían. Por salir a cantar tan emperifollados con la ropa de los domingos se ganaron a pulso el calificativo de pijos.

TERESA RABAL: Si no era niña ni payasa, «¿qué será, qué será, qué será?» ¡**Teresa Rabal!** «*Sí, sí, sí, eso sí, sí, sí...*»

XUXA: Y llegaron los noventa y con ellos, gracias a Telecinco, esta brasileña se convirtió en la principal abanderada de los niños y de sus papis. *Ilariê* fue todo un bombonazo (perdón, bombazo...), y si todos nos pusimos a bailar juntos al ritmo de «Xu xu xu, Xa xa xa», ¿por qué parar?

BOM BOM CHIP: Escuchar a estos cinco niños soltando perlas como «Multiplícate por cero te lo pido por favor, multiplícate por cero y divídete por dos» mientras nos apuntaban con sus dedos simulando una pistola daba un poco de miedito. Por no hablar de ese «Toma, toma y tomaaa» perfecto para descargar toda nuestra agresividad. Después lo que nos mandaban tomar era mucha fruta, a toneladas y a un ritmo mucho más de los noventa.

Superfans
(de Leif Garrett a Kurt Cobain, pasando por Queen y New Kids On The Block)

Supongo que nuestros padres fliparon si en alguna ocasión vieron a Nino Bravo, a Marisol o al Dúo Dinámico en directo. Todos recordamos aquellas imágenes de chicas volviéndose locas ante la llegada de los Beatles a Madrid y Barcelona en 1965, pero no nos engañemos, aquello todavía era solo para unos pocos privilegiados.

Tuvimos que esperar hasta finales de los setenta, principios de los ochenta, para que el **fenómeno fan** fuera algo mayoritario en nuestro país. Entonces sí, con el empeño de emisoras de radio como los **40 Principales,** programas de la tele como **Aplauso** y revistas como **Super Pop**, llegaron los **primeros guaperas** y aquello fue todo un fenómeno de masas entre las jovencitas que empapelaban las carpetas del cole y las paredes de su habitación con las fotos de sus ídolos.

Debido al éxito de **Leif Garret**, al que le gritaban «melenas, encanto de las nenas», la industria discográfica de este país se puso rápidamente las pilas y se convirtió en una máquina de fabricar sex symbols *made in Spain* para quinceañeras. Desde **Pedro Marín** y el rubiales **Iván** a **Pecos**, que hicieron dividir a todas las chicas del país entre las que preferían al rubio (Javi) o al moreno (Pedro), **Gonzalo**, que hasta salió en *Verano Azul* o el incombustible **Miguel Bosé**, a quien siempre le ha encantado provocar con su look (¡la que lío cuando le dio por salir con una falda!).

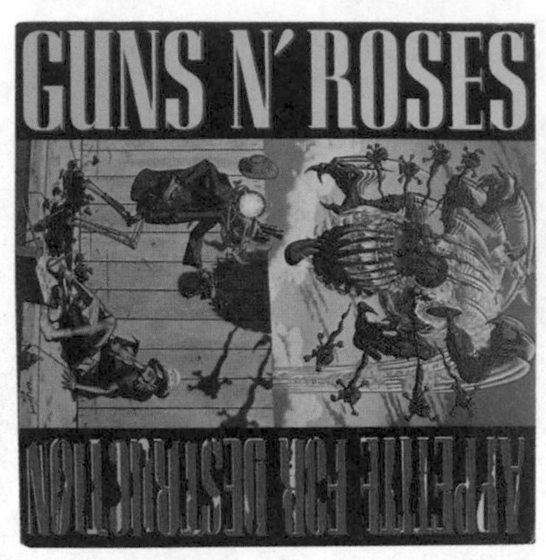

Para mediados de los ochenta ya teníamos como rey a **Michael Jackson** y como reina a **Madonna**, aunque el reinado de **Queen** tuvo la habilidad de gustar a prácticamente todo el mundo. Las chicas ahora se tiraban de los pelos ante las grandes bandas internacionales que se hacían las duras como **Europe** y **Bon Jovi**, o las elegantes que jamás se saldrían del pop como **Spandau Ballet, Duran Duran** y **A-ha**. En nuestro país, se las llevaban de calle los **Hombres G**, y a muchas de nuestras chicas de repente les empezó a gustar «lo pijo» y ya no querían saber nada de sus chicos greñudos que hicieron de **Obús, Barón Rojo, AC-DC, Iron Maiden** y los **Judas Priest** su verdadera religión. Tuvieron que llegar **Guns N'Roses** para que

pijos y heavies pudieran ir juntos a un mismo concierto y las chicas se reconciliaran con los tíos que se habían mantenido firmes con sus melenas, cazadoras de parches y muñequeras de pinchos, sin pasarse al look de **George Michael**. ¡Qué movida! De la madrileña ya se ha hablado demasiado.

Pero la verdadera revolución llegó a las discotecas con los **Modern Talking**, su pupila **C. C. Catch** y toda la cantidad de grupos que dieron la vuelta al mundo con una sola canción y no volvimos a oír hablar de ellos nunca más. ¿Una canción de **Rick Astley** que no sea *Never Gonna Give You Up*?

Cuando ya todos teníamos muy claro a qué tribu urbana pertenecíamos y nos conocíamos al dedillo nuestro código de conducta, qué ropa nos podíamos poner y cuál no y con quiénes nos llevábamos bien y con qué otros a matar, llegan los noventa para cambiar por completo el panorama. A ellas, entonces, les gustan los grupos formados por cinco tíos y que hagan coreografías extrañas a lo **New Kids On The Block**, como **Take That** o los **Backstreet Boys**, que hasta tuvieron su versión femenina y estereotipada al máximo en las **Spice Girls**. **Metallica** arrasa más allá de la escena metalera y **Héroes del Silencio** se convierte

en el grupo que más veces oímos decir que triunfa en toda Europa. Apenas nos dio tiempo a pasarnos al grunge antes de que **Kurt Cobain** se quitara la vida, el britpop nos dividió entre **Oasis** y **Blur** y la electrónica salió de las discotecas para introducirse en todos los estilos. ¡Uh, vaya lío! Los amigos de mis amigas son mis amigos. ¿Y si a partir de ahora todos oímos de todo?

¿SABÍAS QUE...?

La canción con la que Sabrina (o mejor dicho su teta) revolucionó a todo el país en el especial de Nochevieja de 1987-88 fue *Hot Girl* y no su mayor éxito *Boys, boys, boys* como se cree. En realidad, ¿a quién le importaba la canción?

Doctor Music
FESTIVAL
ESCALARRE · VALLS D'ÀNEU · PIRINEUS · LLEIDA
VIERNES 12 · SABADO 13 · DOMINGO 14 Julio 1996
Apertura Zona de Acampada: JUEVES 11 JULIO · 17 h.
Inicio del Festival: VIERNES 12 JULIO · 12 h.
Cierre Zona de Acampada: LUNES 15 JULIO · 17 h.
SOLO MAYORES DE 16 AÑOS
ABONO DE TRES DIAS
10.750 + 150 = 10.900
Doctor Music

WEMBLEY STADIUM
VOLKSWAGEN PRESENTS
ROLLING STONES TOUR
VOODOO LOUNGE 1995
PLUS SPECIAL GUESTS
SUNDAY 16 JULY 1995
DOORS OPEN 4.30pm
SUBJECT TO LICENCE
013373 £25.00
ENTER BY TURNSTILE B

GABBA HEY
RAMONES
ASTORIA WEDNESDAY 28 JUNE
FROM 7.30PM £10.50 IN ADVANCE

MERCADO NACIONAL DE GANADOS
TORRELAVEGA
LOS RONALDOS
LA FRONTERA
Nº 000295
¡¡ ATENCION ¡¡
SABADO
25 Marzo'89
PRECIO:
500 PTS. (ANTICIPADA)
600 PTS. (EN TAQUILLA)

BLACK CROWES
+ ARTISTA INVITADO
Sábado
8 Febrero
Pabellón Anaitasuna
-Pamplona-
Nº 01729
Recomendado por:
PRINCIPALES

PHILIPS COMPACT DISC
get · Marshall Arts
dire straits
+
WAS (NOT WAS)
MARTES 5 MAYO · 20 h.
VELODROMO DE ANOETA (San Sebastian)
Precio único 3500 pts. (IVA incl.)
AVISO
Nº 05402

GUNS N' ROSES
+
FAITH NO MORE
SOUNDGARDEN
SÁBADO, 4 DE JULIO
Estadio Vicente Calderón
Precio 4.500
Nº 41280
ENTRADA

Nº 50984
U2
POP MART
TOUR 97
Rock&Pop
Este talón de seguridad tiene que ir acompañado de la correspondiente entrada para acceder al recinto. Este talón por si sólo nunca permitirá el acceso al local.

PRESENTAN EN CONCIERTO
Y
AYTO. DE BILBAO
(Area de Cultura y Turismo)
BARRICADA
DOMINGO 6 DE MAYO - 21 HORAS
PABELLÓN LA CASILLA - BILBAO
P.V.P. 1.200 Pts.

Empiezan las lentas

PARENTAL ADVISORY EXPLICIT CONTENT

Estábamos deseando ser mayores de edad para poder entrar en las discotecas, aunque tras varios intentos fallidos en los que el portero nos echaba para atrás, siempre conseguíamos colarnos antes de los dieciocho. Pero claro, sin nuestros amigos allí no era lo mismo.

El gran momento era esa fiesta de fin de curso en la disco y sobre todo cuando se apagaban las luces, entonces la gente dejaba de bailar y nos empezaban a sudar las manos porque comenzaban las lentas.

Sabíamos perfectamente con qué chica teníamos que bailar y hasta habíamos ensayado toda la semana la escena: cómo se lo pediríamos, qué le contestaríamos y hasta en qué zona de su cuerpo pondríamos nuestras manos, poco a poco y con mucho disimulo, no se fuera a enfadar.

Pero al final la indecisión nos la volvía a jugar, la experiencia aquí era fundamental y el repetidor de la clase se nos adelantaba y, a la que nos descuidábamos, ya estaba bailando con ella en la pista. Nos quedábamos mirándolos en un rincón, acompañados por ese *Still Loving You* que nunca fallaba y asombrados de que ella no se enfadara.

Asegúrate de pulsar las teclas correctas y asignar a cada número de canción la letra de la palabra que falta.

1. «Cuando era pequeña su mamá se fue
y ella muy solita se quedó
y esta __________ no pudo aprender
y de tristeza llora en su rincón.»

2. «Todos los alumnos de mi curso
bailan twist enloquecidos
en los ratos de recreo,
hay dos __________ que se apuntan
porque el twist lo han aprendido
en sus tiempos de colegio.»

3. «Son los tigres los más fuertes,
los más duros de pelar,
más peleones que dragones, mucho más (¡Tigres!),
más gigantes que elefantes,
más valientes que __________.
Son los tigres los mejores, ra ra ra.»

4. «Todos en la clase alucinados,
eres un ________ y un pesado.
Una pesadilla en el recreo,
si veo tu cara me mareo.
Esto no me mola.
Esto no me mola.
Multiplícate por cero, te lo pido por favor.
Multiplícate por cero y divídete por dos.»

5. «Estoy llorando en mi habitación,
todo se nubla a mi alrededor,
ella se fue con un niño pijo,
en un __________ blanco
y un jersey amarillo.»

A-cuco B-Ford Fiesta C-profesores D-coletas E-cancioncita

F-despiste G-pelota H-contento I-pensamientos J-Tarzán

6. «Fuiste la niña de azul,
en el colegio de monjas
calcetines y ___________,
y estabas loca por Paco
exámenes y veranos,
vacaciones y de Paco
y el recuerdo de su sombra,
y el olor de su tabaco.»

7. «Por la mañana yo me levanto
y voy corriendo desde mi cama,
para poder ver a esa chiquilla
por mi ventana.
Porque yo llevo to´ el día sufriendo,
ya que la quiero con toda el alma.
Y la persigo en mis ___________
de madrugada.»

8. «Salí de casa con la sonrisa puesta,
hoy me he levantado ___________ de verdad,
el sol de la mañana brilla en mi cara,
una brisa fresca me ayuda a despertar.»

9. «No pienses que estoy muy triste
si no me ves sonreír,
es simplemente ___________
maneras de vivir.»

10. «Don diablo que es muy ___________
siempre sale con el truco
del futuro colorado colorín.
Y si acaso cedes,
usará sus mil placeres
para ver cómo
te puede conseguir.»

CINEXIN
EL CINE SIN FIN
CINEXIN
CINEXIN
película continua de 8 mm

FIN

Si te vas y me dejas,
dime adiós
con las orejas

AGRADECIMIENTOS

Queremos agradecer a todas estas personas que han hecho posible que este libro exista y puedas tenerlo ahora en las manos:

Por habernos cedido fotografías nuestro agradecimiento a: Txarly Bravo (La Nube), Jorge Vélez López, Sara Vélez López, María Soledad López Gómez, Sergio Gómez Martínez, Sara Barragán, Sergio Toribio (Web Ilustrador Madrid), Frigo, Nestlé, Sergio Pérez López, Juan Pedro Ferrer (Blog Kiosko de Akela), Javier Sánchez, Alejandro Ruiz de Oliveira, Pastas Villaseco S.A., Ángel Castillo Martínez, Colección Jordi Viader (web Cacaollet), Geure (La guardarropa de la muralla), Ruben Caldera (Blog Watchmod), Foro Hablemos de relojes, Jordi Balart, Web Chinitos de la suerte, María Jesús Muñoz, Ana Ania González, Álvaro Morán Román, Ana López Moya, Alfredo Irisarri (padre e hijo), Rubén Irisarri, Calzados Kelme, Calzados Yumas, Deportivas John Smith, Calzados J'Hayber, Calzados Victoria, Nerea Bereau, Esther López López, Cuadernos Rubio, Perona (Montichelvo Industrial S.A.), Àngels Mas Fajardo, Gerardo López Mozo, Herederos de Emilio Freixas y Carlos Freixas, Juan Carlos Menica Legarreta, Juan Lavado Bustinza, M.ª Teresa Balart, Íñigo Romera Antón, Pablo Antonio Sánchez de la Torre, Francisco Javier García Rodríguez, Ángela Melero Camarero, Mari Osorio Pérez, Marta Corbeira, Rosmi Duaso, Helena Rodríguez Fernández, Javi Robredo Quintana, Gustavo Robredo Quintana, Richard Robredo Quintana, Revista Super Pop, Ana Rius Robles, Edna Gri Hugas (Blog El Penúltimo Rock), Dolores Núñez (Blog Cotilleando mis revistas), Revista *Interviú*, Anaya, Santillana, Ediciones B, Planeta de Agostini Cómics, Carlos Molina y a la Asociación de Vecinos de Aluche.

A todos los compañeros de clase (lectores de facebook, de twitter y del blog) por seguirnos a diario, felicitarnos, darnos ideas, aportarnos vuestras experiencias e incluso darnos un tirón de orejas cuando no damos en el clavo. No dejamos de crecer y de aprender con todos y cada uno de vosotros. Gracias de corazón, entre todos conseguís que la clase sea cada vez más divertida.

Y especialmente a Cris por potenciar hasta el infinito nuestros textos y conseguir un libro artesano, completo y único con su diseño, y a Carmen por su paciencia para conseguirnos cada foto imposible que le pedimos.

Créditos de las imágenes

Archivo personal de los autores: pp. 10, 11, 43, 54, 58-59, 66-67, 122, 123, 142, 165, 168, 170, 177, 183, 202, 228-229, 230, 231, 233, 234, 235, 240, 241, 242, 244, 247, 248, 249. © Fotorecerca: pp. 15, 23, 24, 27, 29, 30, 31, 32, 33, 34, 35, 36, 37, 38, 39, 40, 48, 49, 50, 72, 73, 74, 77, 78, 79, 80, 81, 83, 84, 85, 86, 87, 88, 89, 90, 91, 92, 93, 97, 99, 100, 111, 120, 145, 146, 147, 148, 149, 150, 158, 164, 166, 167, 172, 180, 183, 184, 191, 192, 193, 194, 200, 205, 213, 223, 224, 225, 226, 227, 233, 236, 237, 238, 244, 252, 253, 254, 255. Cortesía de Sergio Toribio (ilustrador Madrid): pp. 18, 19. Cortesía de Frigo: p. 20. Cortesía de Nestlé: p. 20. © Ana Portnoy: pp. 25, 68, 69, 162, 163, 211, 214, 215, 218, 225. Cortesía de Juan Pedro Ferrer (kiosko de Akela): pp. 26, 27, 47, 49, 54, 186, 187, 202. Cortesía de Javier Sánchez: p. 26. Cortesía de Sergio Pérez López: pp. 26, 27, 29, 31. Cortesía de Cristina Irisarri: pp. 26, 44, 169, 171. Cortesía de Alejandro Ruiz de Oliveira: p. 28. © Evan-Amos / Wikimedia Commons: p. 31. Cortesía de Pastas Villaseco S.A.: p. 39. © Ángel Castillo Martínez: p. 41, 54, 153. Cortesía de Col·lecció Jordi Viader (Cacaollet): p. 41. © 123RF (Evaletova): p. 46. © Photoaisa (Colección Gasca-Iberfoto): pp. 46, 133. Cortesía de Jordi Balart: p. 47. © Fototext-Rosmi Duaso: p. 47. Cortesía de Foro Hablemos de relojes: p. 48. © Álbum / Orion Pictures: p. 50. Cortesía de Ana Ania González: p. 51. Cortesía de Álvaro Morán Román: p. 51. Cortesía de Ana López Moya: p. 51. © Getty Images / Graham Tucker: p. 55. © Getty Images / Gamma-Rapho: p. 55. © Getty Images / Ebet Roberts: p. 55. © Photoaisa (Galuschka / Ullstein): p. 56. © Álbum / T14-KPA-Zuma: p. 57. Cortesía de María Jesús Muñoz: p. 57. Cortesía de Alfredo Irisarri y Rubén Irisarri: p. 59. © Getty Images / ABC Photo Archive: p. 60. Cortesía de Calzados Kelme: p. 61. Cortesía de Calzados Yumas: p. 61. Cortesía de Deportivas John Smith: p. 62. Cortesía de Calzados Jayber: p. 62. Cortesía de Calzados Victoria: p. 63. Cortesía de Nerea Bereau: p. 64. © Cordon Press-Bettmann / Corbis: p. 75. Cortesía de Esther López López: p. 89. © Hanna-Barbera / Álbum: p. 98. © TVE / Álbum: pp. 101, 104, 105, 116, 117. © Álbum: pp. 106, 107, 118, 136, 137, 139, 141, 239. © Prisma: p. 109. © Getty Images / Álvaro Rodríguez: p. 110. © Álbum / Mondadori Portfolio: p. 112. © Beta Film / Iduna Film Produktiongesellschaft / Nord Art / Svensk / Álbum: p. 113. © Aaron Spelling Prod. / Douglas S. Cramer Co. / Álbum: p. 114. © Universal TV / Álbum: pp. 114, 119. © Thames Television / Álbum: pp. 114, 115. © NBC / dpa / Álbum: p. 115. © Stephen J. Cannell Productions / Universal TV / Álbum: p. 115. © Paramount Pictures / Álbum: pp. 124, 134. © Cannon Films / Álbum: p. 124. © Columbia Tri Star / Álbum: p. 124. © Golden Harvest Group / Álbum: p. 124. © Photoaisa (NG Collection / FRimages): p. 124. © Photoaisa (Warner Bros. Inc. and The Malpaso Company): p. 125. © Fotolia / Starmaro: pp. 124, 125. © Universal Pictures / Álbum: pp. 126, 131. © Columbia Pictures / Álbum: pp. 128, 131. © Istockphoto / DNY59: p. 129. © Photoaisa (Warner Bros. Inc.): p. 129. © Istockphoto / Björn Meyer: p. 129. © Istockphoto / Andrew Howe: p. 129. © Warner Brothers / Álbum: pp. 129, 130, 138. © Neve Constantin-Bavaria-WDR/Warner Bros / Álbum: p. 130. © Lucasfilm / 20th Century Fox / Álbum: p. 130. © Lucasfilm Ltd. / Paramount / Álbum: p. 131. © Photoaisa (Ronald Grant Archive / Mary Evans): pp. 135, 138. © Photoaisa (Ng Collection / Interfoto / Vestron Pictures): p. 135. © Photoaisa (Ronald Grant Archive / Mary Evans), crédito adicional: Act. III Communications / Buttercup Films Ltd. / Theprincess: p. 135. © Medusa / Álbum: p. 136. © Figaro Films / Álbum: p. 136. © Impala Films / Álbum: 136. © Multivídeo / Álbum: p. 136. © Photoaisa (Friedrich/FRimages): p. 138. © New Line Cinema / Álbum: p. 138. Cortesía de Cuadernos Rubio: pp. 142, 153. Cortesía de Perona (Montichelvo Industrial, S.A.): p. 144. © Cortesía de Àngels Mas Fajardo: pp. 147, 150, 151, 152, 173, 181, 185, 193, 195, 196, 200, 201, 241. Cortesía de Gerardo López Mozo: p. 152. © Editorial Santillana: pp. 154, 155, 157. © Grupo Anaya: pp. 156, 157. © Herederos de Emilio Freixas y Carlos Freixas: pp. 165, 166. © Cortesía de Juan Carlos Menica Legarreta: p. 170. © Nicolas Raymond: p. 172. Cortesía de Juan Lavado Bustinza: pp. 174, 175, 176. © Jovani Carlo Gorospe / 123 RF: p. 175. Cortesía de Javi Robredo: pp. 178, 203. © Cvalda / Wikimedia Commons: p. 178. © Ralf Berger / Wikimedia Commons: p. 179. © Thomas Doerfer / Wikimedia Commons: p. 180. © Charles01 / Wikimedia Commons: p. 180. Cortesía de M.ª Teresa Balart: p. 181. Cortesía de Íñigo Romera Antón: p. 182. Cortesía de Ángela Melero Camarero: p. 194. Cortesía de Pablo Antonio Sánchez de la Torre: p. 197. Cortesía de Francisco Javier García Rodríguez: pp. 198, 199. Cortesía de Richard Robredo Quintana: p. 202. Cortesía de Mari Osorio Pérez: p. 202. Cortesía de Alfredo Irisarri padre e hijo y Rubén Irisarri: p. 203. Cortesía de Helena Rodríguez Fernández: pp. 203, 206. Cortesía de Gustavo Robredo Quintana: p. 203. Cortesía de Marta Corbeira Montalvo: p. 203. Cortesía de Rosmi Duaso: p. 203. Cortesía de revista *Super Pop*: pp. 206, 220, 222, 224. ©® Ediciones B, S.A. Todos los derechos reservados: pp. 206, 209, 211 © Juan López / ©® Ediciones B, S.A. pp. 206, 209 © Francisco Ibáñez / ©® Ediciones B, S.A.: pp.208, 209 © Herederos de José Escobar / ©® Ediciones B, S.A.: p. 209 © Víctor Mora / ©® Ediciones B, S.A.: pp. 210, 211/ © Planeta DeAgostini Cómics: p. 212. Cortesía de Dolores Núñez: pp. 216, 220. Cortesía de revista *Interviú*: p. 218. Cortesía de Edna Gri Hugas (El penúltimo rock): p. 224. © Mr. Spectre / Wikimedia Commons: p. 232. © Getty Images / GAB Archive: p. 243. © Photoaisa / Alinari: p. 243. © Álbum / Domingo J. Casas: p. 245. © Getty Images / Marc S. Canter: p. 245. © Photoaisa / LFI / Photoshot: p. 245. © Getty Images / Suzie Gibbons: p. 245. © Álbum / f84-KPA-ZUMA: p. 246. © Getty Images / Dave Hogan: p. 246. © Getty Images: p. 247. © Photoaisa / Jazz Archiv Hamburg / Ullstein: p. 247. Cortesía de Carlos Molina: pp. 250, 251. Cortesía de Asociación de vecinos de Aluche: p. 256.